文字・語い・文法まとめ

新にほんご500

松本紀子・佐々木仁子

ask

はじめに

Preface / 导言 / 머리말

この本は

- 日本語能力試験 N2 を受験するレベルの人のための本です。
- 1 日 20 分、4 週間で勉強できます。
- 文字・語彙・文法の各分野をバランスよく学習することで、総合力がアップできます。
- 苦手な分野だけ、集中的に勉強することもできます。

日本語に「習うより慣れろ」ということばがあります。どんどん問題を解いて、日本語の力をつけましょう。

2015 年 4 月

松本紀子・佐々木仁子

This book:

- is for students planning to take the Japanese Language Proficiency Test levels N2.
- takes 20 minutes a day for four weeks to finish.
- can help you improve your Japanese language skills in all areas, including writing, vocabulary, and grammar.
- enables you to focus on studying just your weakest areas .

As one Japanese saying goes, "getting used to something is more important than learning it", so please strive to improve your Japanese by practicing the many exercises in this book.

April, 2015

Noriko Matsumoto / Hitoko Sasaki

此书特点

- 专为参加日语能力考试 N2 的考生设计。
- 每天学习 20 分钟、4 周学完。
- 可通过此书合理有效掌握文字・词汇・语法各部分的内容，提升综合能力。
- 可通过此书针对薄弱部分集中练习。

日语中有"習うより慣れろ"的说法，也就是熟能生巧的意思。让我们通过不断练习，提高日语水平。

2015 年 4 月

松本纪子・佐佐木仁子

이 책은

- 일본어 능력 시험 N2 시험을 볼 사람을 위한 책입니다 .
- 하루 20 분 , 4 주간 공부할 수 있습니다 .
- 문자・어휘・문법의 각 분야를 균형있게 학습하는 것이 종합 능력를 높일 수 있습니다 .
- 서투른 분야를 집중적으로 공부할 수도 있습니다 .

일본어에는「배우기보다 익숙해지라」는 말이 있습니다 . 문제를 많이 풀어서 일본어의 실력을 쌓읍시다 .

2015 년 4 월

마쓰모토 노리코・사사키 히토코

目次（もくじ） Contents / 目录 / 목차

この本の使い方

How to use this book / 本书使用方法 / 이 책의 사용법

◆ 1ページは3つの段に分かれています。いちばん上の段は文字、真ん中の段は語彙、いちばん下の段は文法の問題です。

Each page is divided into three sections. The top section is for learning letters, the middle section is for learning vocabulary, and the bottom section is for learning grammar.

每页分成 3 部分。上部为文字问题，中部为词汇问题，下部为语法问题。

한 페이지는 3 단계로 나뉘어 있습니다 . 제일 윗단은 문자 , 가운데 단은 어휘 , 제일 아랫단은 문법 문제입니다 .

◆ 総合力をつけるには、問題番号の順に解いていくといいでしょう。1日5ページ、15問（3問×5ページ）ずつ問題を解きます。1日目から6日目までで、文字30問、語彙30問、文法30問、計90問あります。7日目は、文字12問、語彙12問、文法11問、計35問あります。1週が終わったら、各週の最初のページにある集計表に記入しましょう。

We recommend that you go through the questions in the book in numeric order to help gauge your overall progress. Try to do five pages (15 questions) a day. Over the course of the first six days, you should be able to complete 90 questions from all sections; 30 questions on writing, 30 questions on vocabulary, and 30 questions on grammar. On the seventh day, complete the 12 writing questions, 12 vocabulary questions, and 11 grammar questions. At the end of the week, please fill in the chart on the first page of that week.

为提升综合能力，可按照问题编号顺序逐项回答。1 天完成 5 页，即 15 题（3 题 ×5 页）。从第 1 天到第 6 天可完成文字 30 题、词汇 30 题、语法 30 题，共计 90 题。第 7 天完成文字 12 题、词汇 12 题、语法 11 题，共计 35 题。整周学习结束后，在各周第一页的统计表内进行汇总。

종합력을 기르기 위해서는 문제 번호순으로 풀어나가면 좋습니다 . 하루에 5 페이지 , 15 문제 (3 문제× 5 페이지) 씩 문제를 풉니다 . 1 일째 부터 6 일째까지 , 문자 30 문제 , 어휘 30 문제 , 문법 30 문제 , 합계 90 문제가 있습니다 . 7 일째는 , 문자 12 문제 , 어휘 12 문제 , 문법 11 문제 , 합계 35 문제가 있습니다 . 첫 주를 마친 후 , 각 주 첫 페이지에 있는 집계표에 기재합시다 .

記入例

Example / 记录方法实例 / 기입 예

	1～6日目	7日目（ふくしゅう）
1回目	14 ／30問	9 ／12問
2回目	24 ／30問	11 ／12問
3回目	29 ／30問	12 ／12問

◆ 分野別に集中的に問題を解いていくのもいいでしょう。例えば、問題番号順ではなく、いちばん上の段（文字）ばかりを先に解き、次に真ん中の段（語彙）ばかりを解くという勉強の仕方もあります。自分の弱点を強化するような使い方をしてください。

You are free to study each section more intensively one at a time if you prefer. For example, you could tackle the top section (writing) first, ignoring the order, and then move to the middle section (vocabulary). Please use this book to focus on your weak points..

也推荐集中练习某一部分，例如：不按照问题编号回答，而是先统一完成上部的（文字）练习，然后再统一完成中部的（词汇）练习等。灵活选择能强化自己弱点的学习方式。

분야별로 집중해서 문제를 푸는 것도 좋습니다 . 예를 들면 , 문제 번호순이 아니라 , 제일 윗단 (문자) 만을 먼저 풀고 , 다음에 가운데 단 (어휘) 만을 푸는 공부 방법도 있습니다 . 자신의 약점을 강화할 수 있게 사용하십시오 .

◆ 答えと解説は問題の次のページにあります。

The answers and explanations are on the next page following the questions.
答案与解释均在问题的后一页。
해답과 해설은 문제의 다음 페이지에 있습니다.

1日目 ～ 6日目

左ページ=答え

◆ これは前のページの答えと解説です。

This is the answer and explanation for the previous page.

这里对前一页的答案作解释。

이것은 앞 페이지의 답과 해설입니다.

◆ 1行目に正解と問題文の訳があります。

The answer and translation are on the first line.

第一行有正确答案和问题的译文。

첫째 줄에 정답과 문제의 문장 번역이 있습니다.

◆ 下に問題に関連した内容を紹介しています。

There are examples related to the questions below.

以下介绍与问题有关联的内容。

아래의 문제에 관련된 내용을 소개하고 있습니다.

こたえ

もじ

43　**4**　この虫に近づくと、毒の針で**刺される**。

If you come close to one of these bugs, it will sting you with its stinger.
如果靠近这种虫子，会被毒针刺到。/ 이 벌레에 다가가면, 독 바늘에 찔린다.

毒　ドク：毒・気の毒な
針　シン：方針
　　はり：針
刺　シ：名刺
　　さ(-す)：刺す・刺身

ごい

44　**1**　ネットショッピングで安く買ったと思ったが、送料がかかってかえって高く**ついた**。

I thought I had bought something on the Internet at a low price, but shipping ended up costing a lot.
本来想在网上买更便宜点，但加上运费反而更贵了。
인터넷 쇼핑에서 싸게 샀다고 생각했는데, 배송료가 붙어서, 오히려 비싸게 들었다.

高くつく（たかくつく） be costly, be expensive / 用更贵的价格买入 / 비싸게 치이다

◆外食は高くつく
◆タクシーで行く方が安くつく場合がある。

ぶんぽう

45　**1**　あなたの言っていることは、言い訳**に過ぎない**。

OK　言い訳でしかない

What you say is just an excuse.
你所说的只不过是辩解。/ 당신이 말하고 있는 것은 변명에 불과하다.

～に過ぎない　Nでしかない　（＝～だけで、それ以上ではない）

◆実行しなければ、ただの夢**でしかない**。（＝夢に過ぎない）

～に限る　（＝～が一番いい）

◆寒いときは温かいものを食べる**に限る**。

40

右ページ＝問題

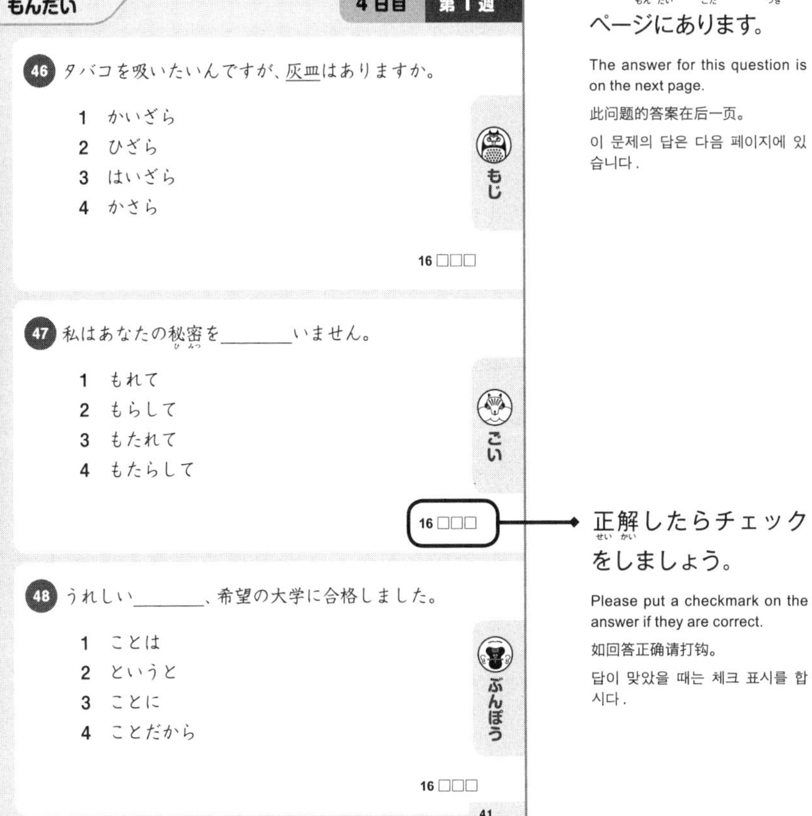

もんだい　4日目　第1週

46 タバコを吸いたいんですが、灰皿はありますか。

1 かいざら
2 ひざら
3 はいざら
4 かさら

もじ

16 □□□

47 私はあなたの秘密を＿＿＿＿いません。

1 もれて
2 もらして
3 もたれて
4 もたらして

ごい

16 □□□

48 うれしい＿＿＿＿、希望の大学に合格しました。

1 ことは
2 というと
3 ことに
4 ことだから

ぶんぽう

16 □□□

41

◆ この問題の答えは次のページにあります。

The answer for this question is on the next page.

此问题的答案在后一页。

이 문제의 답은 다음 페이지에 있습니다.

◆ 正解したらチェックをしましょう。

Please put a checkmark on the answer if they are correct.

如回答正确请打钩。

답이 맞았을 때는 체크 표시를 합시다.

7日目

◆ 7日目は1～6日目の復習です。

The seventh day is for reviewing what you did the first six days.
第7天为第1～6天的复习。
7 일째는 1~6일째의 복습입니다.

◆ わからないときは →(xx) の問題を見て確認しましょう。

When you do not understand something, please look at the →(xx) question and check it out.
不理解的话请看 →(xx) 的问题。
잘 모를 때는 →(xx) 의 문제를 보고 확인합시다.

◆ 答えは次のページの下に書いてあります。

The answer is at the bottom of the next page.
答案写在后一页最下面。
답은 다음 페이지 아래에 적혀 있습니다.

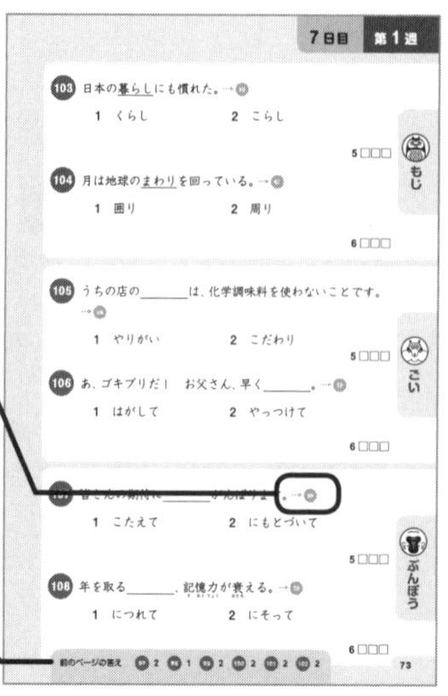

7日目 第1週

103 日本の暮らしにも慣れた。
1 くらし　2 こらし

104 月は地球のまわりを回っている。
1 囲り　2 周り

105 うちの店の＿＿＿は、化学調味料を使わないことです。
1 やりがい　2 こだわり

106 あ、ゴキブリだ！ お父さん、早く＿＿＿。
1 はがして　2 やっつけて

107
1 こたえて　2 にもとづいて

108 年を取る＿＿＿、記憶力が衰える。
1 につれて　2 にそって

もじ　ごい　ぶんぽう

73

マークについて

OK 正解になるほかの表現を紹介しています。

This shows other possible answers.
此处介绍除了答案以外其他可用的表达。/ 정답이 될 만한, 또 다른 표현을 소개하고 있습니다.

⇔ 反対語を紹介しています。

This shows possible antonyms. / 此处介绍其反义词。/ 반대어를 소개합니다.

＝ ほぼ同じ意味の表現を紹介しています。

This shows phrases that have almost the same meaning.
此处介绍意思相仿的表达。/ 거의 같은 의미의 표현을 소개하고 있습니다.

＊ 注意点や説明などを紹介しています。

This shows explanations and points to be careful of.
此处介绍注意事项或注释说明等。/ 주의점과 설명 등을 소개하고 있습니다.

よくある間違いを示しています。
使わないように、注意してください。

This shows common mistakes. Please be careful not to make any of them.
此处介绍常见错误。友情提示您不要误用。
흔히 범할 수 있는 실수를 보여주고 있습니다. 쓰지 않도록 주의하십시오.

第1週（だいしゅう）

Week 1 / 第 1 周 / 제 1 주

- 6日目(かめ)まで終(お)わったら、正解(せいかい)の数(かず)を数(かぞ)えて記入(きにゅう)しましょう。
- 正解(せいかい)の少(すく)ない分野(ぶんや)があったら、もう一度(いちど)やってから7日(か)目(め)に進(すす)みましょう。
- 7日目(かめ)は復習(ふくしゅう)です。終(お)わったら正解(せいかい)の数(かず)を記入(きにゅう)して、学習(がくしゅう)の効果(こうか)を確認(かくにん)しましょう。

◆ At the end of the first six days, count the number of questions that were correct.
◆ If there is a section where you got only a few questions correct, please do it over before moving on to the seventh day.
◆ The seventh day is for reviewing. When you are finished, fill in the number of the correct answers to see how you have improved.

◆ 学到第 6 天时，将回答正确的题数记录下来。
◆ 正确率较低的部分，重新再做一遍以后再学习第 7 天的内容。
◆ 第 7 天为复习。做完后将回答正确的题数记录下来，确认学习效果。

◆ 6 일째까지 마친 후 정답 수를 세어 기록합시다.
◆ 정답 수가 적은 분야가 있으면 다시 한 번 한 후에 7 일째를 합시다.
◆ 7 일째는 복습입니다. 다 마친 후 정답 수를 적고, 학습 효과를 확인합시다.

もじ

	1～6日目	7日目（ふくしゅう）
1回目	／30問	／12問
2回目	／30問	／12問
3回目	／30問	／12問

ごい

	1～6日目	7日目（ふくしゅう）
1回目	／30問	／12問
2回目	／30問	／12問
3回目	／30問	／12問

ぶんぽう

	1～6日目	7日目（ふくしゅう）
1回目	／30問	／11問
2回目	／30問	／11問
3回目	／30問	／11問

もじ

_____ のことばをひらがなは漢字に、漢字はひらがなに直して、正しいものを選択肢から選びなさい。

Choose the correct word from the multiple options after converting the underlined *kanji* word into *hiragana* or the *hiragana* word into *kanji*.

将 _____ 部分的假名变成汉字, 汉字变成假名, 从选项中选择正确的。

_____ 의 말을 히라가나는 한자로, 한자는 히라가나로 고쳐, 바른것을 선다형에서 고르시오.

ごい

_____ のところに何を入れたらよいか。いちばん適当なものを選択肢から一つ選びなさい。

What is the right word to fit in the underlined space? Choose one correct word out of the multiple options.

_____ 中应该填入什么? 从选项中选择最恰当的。

_____ 에 무엇을 넣으면 좋은지. 가장 적당한 것을 선다형에서 하나 고르시오.

ぶんぽう

_____ のところに何を入れたらよいか。いちばん適当なものを選択肢から一つ選びなさい。

What is the right word to fit in the underlined space? Choose one correct word out of the multiple options.

_____ 中应该填入什么? 从选项中选择最恰当的。

_____ 에 무엇을 넣으면 좋은지. 가장 적당한 것을 선다형에서 하나 고르시오.

1 A国の大統領は、日本の印象を次のように<u>述べた</u>。

1　もべた
2　ぬべた
3　のべた
4　むべた

1 □□□

2 電子レンジは、50年前は珍しかったが、今ではどこの家にでもある＿＿＿＿電化製品です。

1　ありふれた
2　おだやかな
3　なつかしい
4　ふさわしい

1 □□□

3 風邪＿＿＿＿なので、今日は早く寝よう。

1　げ
2　がち
3　め
4　ぎみ

1 □□□

こたえ

1

3 A国の大統領は、日本の印象を次のように**述べた**。

The president of country A expressed his impression of Japan thusly.
A 国总统对日本的印象进行了如下叙述。 / A 국의 대통령은 일본의 인상을 다음과 같이 말했다 .

もじ

領 **リョウ**：大統領・領事館・領収書

印 **イン**：印象・印刷

しるし：印・目印

述 **ジュツ**：述語

の (-べる)：述べる

2

1 電子レンジは、50年前は珍しかったが、今ではどこの家にでもある**ありふれた**電化製品です。

Microwaves were rare 50 years ago, but now, they are commonplace in households everywhere. / 微波炉在 50 年前是很稀罕的，如今已是每家每户都能见到的电器产品了。 / 전자레인지는 50 년 전에 드물었다지만 , 지금은 어느 집에나 흔히 있는 전자 제품입니다 .

ごい

ありふれる commonplace, garden variety / 普遍、平常、平凡 / 어디에나 있다

穏やかな（おだやかな） calm, quiet / 平稳、温和 / 온화하다 ◆**穏やかな**人

懐かしい（なつかしい） missed, causing feelings of nostalgia / 令人怀念 / 그립다

◆**懐かしい**曲

ふさわしい fitting, worthy / 合适、相称 / 어울리다 ◆パーティーに**ふさわしい**服

3

4 風邪**気味**なので、今日は早く寝よう。

I will go to bed early tonight because I kind of feel sick.
感觉有点感冒，今天早点睡觉。 / 감기 기운이 있으니까 오늘은 일찍 자자 .

ぶんぽう

N気味 ◆最近疲れ**気味**だ。(＝ちょっと疲れている)

～げ ◆子どもたちが、楽し**げ**に歌を歌っている。(＝楽しそうに)

Nがち ◆私は子供の頃、病気**がち**だった。(＝よく病気になった)

Aめ ＊A~~い~~め ◆大き**め**（＝ちょっと大きい） ◆早**め** ◆強**め**

4 <u>やちん</u>はいくらですか。

1　家貧
2　家貨
3　家賃
4　家費

2 □□□

もじ

5 風邪を引いたのか熱っぽいし体が＿＿＿＿。

1　みっともない
2　やっかいだ
3　だるい
4　だらしない

2 □□□

ごい

6 京都へは、中学の修学旅行で＿＿＿＿行っていない。

1　行かないきり
2　行ったきり
3　行きっきり
4　行ってきり

2 □□□

ぶんぽう

こたえ

もじ

4

3 家賃(やちん)はいくらですか。

How much is the rent? / 房租是多少？/ 임대료는 얼마입니까？

賃	**チン**：家賃(やちん)・運賃(うんちん)・賃貸(ちんたい)
貧	**まず** (-しい)：貧(まず)しい
貨	**カ**：貨物(かもつ)・硬貨(こうか)
費	**ヒ**：費用(ひよう)・食費(しょくひ)・交通費(こうつうひ)

ごい

5

3 風邪(かぜ)を引(ひ)いたのか熱(ねつ)っぽいし体(からだ)が**だるい**。

I think I have a cold. I feel feverish and sluggish. / 不知道是不是因为感冒了，感觉发烧了而且很乏力。 / 감기 걸렸는지 열이 있는 것 같고，몸이 나른하다.

だるい	sluggish / 乏力、困倦 / 나른하다
みっともない	disgraceful, shameful / 不像样、不体面 / 보기 흉하다 ◆**みっともない**格好(かっこう)
やっかいな	troublesome, bothersome / 麻烦、令人为难 / 성가심 ◆**やっかいな**問題(もんだい)
だらしない	slovenly, untidy / 不检点、自由散漫 / 깔끔하지 못하다 ◆**だらしない**生活(せいかつ)

ぶんぽう

6

2 京都(きょうと)へは、中学(ちゅうがく)の修学旅行(しゅうがくりょこう)で**行(い)ったきり**行(い)っていない。

I have not been to Kyoto since I went there on a school trip when I was in junior high school.

中学的修学旅行去过一次京都，然后再没去过。

교토에는 중학교의 수학여행 갔던 이후，가지 않았다.

Vた(っ)きり～ない　(＝Vたままずっと)

◆娘(むすめ)は朝早(あさはや)く出(で)かけ**たきり**まだ帰(かえ)って**こない**。

V(っ)きり　have done only once / 不干别的事，只做这个的样子 / V(한) 채로

◆先生(せんせい)に**つきっきり**で教(おし)えてもらった。

7 コーヒーが濃過ぎたので、お湯で<u>薄めた</u>。

1　うすめた
2　うめた
3　ぬるめた
4　さめた

3 □□□

もじ

8 ＿＿＿＿ばかりいると、そのうちにけがをするから、おとなしく座っていなさい。

1　はりきって
2　つぶして
3　だまして
4　ふざけて

3 □□□

ごい

9 田中さんの結婚祝いを買いますから、一人＿＿＿＿1,000円ずつ集めます。

1　につき
2　にのみ
3　でこそ
4　でさえ

3 □□□

ぶんぽう

こたえ

もじ

7 **1** コーヒーが濃過ぎたので、お湯で**薄めた**。

The coffee was too strong so I diluted it with hot water.
咖啡太浓了，用热水冲淡了些。 / 커피가 너무 진하기 때문에 끓인 물을 타서 엷게 했다.

濃 **ノウ**：濃度
こ (-い)：濃い

湯 **ゆ**：(お)湯

薄 **うす** (-い)：薄い　**うす** (-める)：薄める

ごい

8 **4** **ふざけて**ばかりいると、そのうちにけがをするから、おとなしく座っていなさい。

If you keep playing around, you will get hurt, so please just sit still.
一直这么嬉笑打闹下去要受伤的，老老实实坐着。
까불고만 있다가는 다치니까, 얌전히 앉아 있어라.

ふざける joke around, kid / 开玩笑、嬉笑打闹 / 까불다

張り切る (はりきる) be in high spirits / 拉紧、干劲十足 / 의욕적이다
◆**張り切って**仕事する

つぶす crush, shut down / 打压、消磨、压碎 / 찌부러뜨리다　◆箱を**つぶす**

だます trick, deceive / 哄骗、蒙骗 / 속이다　◆ひとを**だます**

9 **1** 田中さんの結婚祝いを買いますから、一人**につき** 1,000 円ずつ集めます。

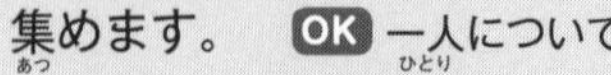

OK 一人について

We will collect 1,000 yen from each person to buy a wedding present for Mr. Tanaka.
因为要给田中买结婚贺礼，每人各凑 1000 日元。
다나카 씨의 결혼 축하 선물을 사니까, 한 사람당 1,000 엔씩 모으겠습니다.

ぶんぽう

Nにつき
◆**一人につき**… ... per person / 每人 / 한 사람당…
◆**一時間につき** ... per hour / 每小时 / 한 시간당

N(で)さえ even N / 就连 N / N 조차
◆それは、**子供でさえ**できる問題だ。

10 スキーで足を<u>こっせつ</u>した。

1　背折
2　肩折
3　育折
4　骨折

4 □□□

もじ

11 私が失恋したとき、山田さんが＿＿＿＿＿くれてうれしかった。

1　あこがれて
2　なぐさめて
3　力を入れて
4　力を込めて

4 □□□

ごい

12 その新しい商品は、東京＿＿＿＿＿、全国の主な都市で売られている。

1　にはじめ
2　をはじめ
3　にはじめて
4　をはじめて

4 □□□

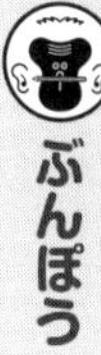
ぶんぽう

こたえ

もじ

10 **4** スキーで足を**骨折**した。

I broke my leg skiing.
因滑雪，腿骨折了。 / 스키로 다리가 부러졌다 .

- 骨 **コツ**：骨折する
- **ほね**：骨
- 背 **せ**：背・背中
- 肩 **かた**：肩
- 育 **イク**：教育　**そだ**(-つ / -てる)：育つ・育てる

ごい

11 **2** 私が失恋したとき、山田さんが**慰めて**くれてうれしかった。

I was happy that Yamada-san consoled me when I was broken-hearted.
我失恋的时候山田安慰我，我很欣慰。 / 내가 실연했을 때 , 야마다 씨가 위로해 줘서 기뻤다 .

慰める（なぐさめる） comfort, console / 安慰、慰藉 / 위로하다

憧れる（あこがれる） admire, respect / 憧憬、向往 / 동경하다

◆海外生活に**憧れる**

力を入れる（ちからをいれる） put effort into / 致力于、着力、努力 / 힘 , 정성을 들이다

◆**力を入れて**練習する

力を込める（ちからをこめる） put strength into / 使劲儿、用力 / 힘을 다하다

◆**力を込めて**演説する

ぶんぽう

12 **2** その新しい商品は、東京**をはじめ**、全国の主な都市で売られている。

That new product is sold in major cities all over Japan including Tokyo.
那种新产品，在东京以及全国的主要城市销售。
그 새 제품은 , 도쿄를 비롯한 전국의 주요 도시에서 팔리고 있다 .

Nをはじめ（として） including N / 以 N 为首，以及 / N 을 비롯하여

＊ N= 代表的なもの representing something / 代表性的 / 대표적인 것

◆その会議には、イギリス**をはじめ**、ヨーロッパの国々が参加した。

◆この学校は野球**をはじめとして**、水泳、サッカーなどが盛んである。

13 破れた靴や折れた傘(かさ)などの修理、<u>承ります</u>。お気軽にご相談ください。

1　うけたまわります
2　おけたまわります
3　ぬけたまわります
4　つけたまわります

5 □□□

14 こんな結果になって＿＿＿＿＿。努力が足りなかったと思う。

1　あやしい
2　おしい
3　ばからしい
4　なさけない

5 □□□

15 虫に刺されたところが、＿＿＿＿＿。

1　かゆいだけでならない
2　かゆいしかならない
3　かゆくてたまらない
4　かゆくてしかない

5 □□□

もじ

13

1 破(やぶ)れた靴(くつ)や折(お)れた傘(かさ)などの修理(しゅうり)、**承(うけたまわ)ります**。お気軽(きがる)にご相談(そうだん)ください。

We repair things like worn shoes and broken umbrellas. Please feel free to come in.
承接皮鞋的修理。请随时来咨询。
뚫어진 신발과 부러진 우산 등의 수리를 맡습니다 . 부담 없이 상담해 주십시오 .

破 **ハ**：破片(はへん)・破産(はさん)
やぶ（-れる / -る）：破(やぶ)れる・破(やぶ)る

靴 **くつ**：靴(くつ)・靴下(くつした)・運動靴(うんどうぐつ)・雨靴(あまぐつ)

承 **ショウ**：承知(しょうち)する・了承(りょうしょう)する
うけたまわ（-る）：承(うけたまわ)る

ごい

14

4 こんな結果(けっか)になって**情(なさ)けない**。努力(どりょく)が足(た)りなかったと思(おも)う。

These results are pathetic. I think I did not put in enough effort.
变成这种结果真令人遗憾啊，我觉得是努力得不够。
이런 결과가 되어 한심하다 . 노력이 부족했다고 생각한다 .

情けない（なさけない） miserable, pathetic / 可悲、可怜、令人遗憾 / 한심하다

怪しい（あやしい） suspicious / 奇怪、可疑 / 이상하다

おしい regrettable / 可惜、遗憾 / 아깝다 , 분하다
◆あと 1 点(てん)で 100 点(てん)だ。**おしい**！

ばからしい absurd / 愚蠢、无聊、不值得 / 바보 같다

ぶんぽう

15

3 虫(むし)に刺(さ)されたところが、**かゆくてたまらない**。

The spot where the bug bit me is so itchy.
被虫子叮的地方痒死了。 / 벌레에 물린 곳이 가려워서 견딜 수 없다 .

Vてたまらない	Vてしょうがない	Vて仕方(が)ない	Vてならない

◆アメリカにいる娘(むすめ)のことが心配(しんぱい)**でしょうがない**。（＝とても心配(しんぱい)だ）
◆試験(しけん)の結果(けっか)が、気(き)になっ**て仕方(しかた)がない**。（＝とても気(き)になる）
◆希望(きぼう)の大学(だいがく)に入(はい)れなくて、残念(ざんねん)**でならない**。（＝とても残念(ざんねん)だ）

16 娘は七歳の誕(たん)生日の<u>お祝い</u>に貯金箱をもらいました。

1　おみあい
2　おゆわい
3　おいわい
4　おにあい

もじ

17 A「試験、どうだった？」
B「時間がなくて＿＿＿＿＿けれど、何とか全部書いたよ。」

1　あせった
2　さわいだ
3　あきれた
4　あらためた

ごい

18 会社でいやなことがあると、酒を＿＿＿＿＿。

1　飲んでならない
2　飲むことはならない
3　飲まないことではない
4　飲まずにはいられない

ぶんぽう

もじ

16 **3** 娘は七歳の誕生日の**お祝い**に貯金箱をもらいました。

My daughter received a savings box as a gift for her seventh birthday.
女儿七岁生日礼物得到了一个储蓄罐。 / 딸은 일곱 번째 생일 축하로 , 저금통을 받았습니다 .

歳 **サイ**：一歳、二歳…二十歳…　＊二十歳　**セイ**：歳暮

祝 **シュク**：祝日

いわ（-う）：祝う・（お）祝い

貯 **チョ**：貯金する・貯蔵する

ごい

17 **1** A「試験、どうだった？」

B「時間がなくて**焦った**けれど、何とか全部書いたよ。」 **OK** 慌てた

A: "How was the test?" B: "I rushed a bit because I did not have much time, but I was somehow able to finish everything." / A: "考试考得怎么样？" B: "时间不够用很着急，不过不管怎样都填上了。" / A「시험 , 어땠어 ?」B「시간이 없어서 초조했지만 , 어떻게든 다 썼어 .」

焦る（あせる） be in a hurry, (feel) rushed / 焦急、焦躁 / 초조해 하다

騒ぐ（さわぐ） make noise, be noisy / 吵闹、慌乱 / 소란 피우다

あきれる be amazed, be shocked, dumbfounded / 吃惊、吓呆、发愣 / 어이없다

改める（あらためる） ① reform, correct ② do formally / 重新做、改、改正 / 개선하다

ぶんぽう

18 **4** 会社で嫌なことがあると、酒を**飲まずにはいられない**。

OK 飲まないではいられない

I cannot help but drink alcohol when I have a bad day at work.
在公司如果发生不愉快的事，总忍不住喝酒。
회사에서 언짢은 일이 있으면 술을 마시지 않고는 견딜 수 없다 .

Vずにはいられない　**Vないではいられない**　＊V~~ない~~ずには

（＝どうしてもVてしまう）

- その料理はあまりにまずくて、文句を**言わずにはいられなかった**。
- その映画を見た人はみんな、**泣かないではいられない**だろう。

19 <u>こくばん</u>にチョークで字を書いた。

1 黒販
2 黒坂
3 黒版
4 黒板

7□□□

もじ

20 都会での生活に＿＿＿＿東京に出てきたが、家賃も物価も高くて大変だ。

1 ねがって
2 あこがれて
3 したがって
4 たよって

7□□□

ごい

21 田中さんは、音楽の先生＿＿＿＿、歌がうまい。

1 ように
2 ほどに
3 だけに
4 くらいに

7□□□

ぶんぽう

もじ

19 **4** 黒板(こくばん)にチョークで字(じ)を書(か)いた。

I wrote on the blackboard with chalk.
用粉笔在黑板上写字。 / 칠판에 분필로 글씨를 썼다 .

板	バン：	黒板(こくばん)・伝言板(でんごんばん)
	いた：	板(いた)・まな板(いた)
販	ハン：	販売(はんばい)する・自動販売機(じどうはんばいき)
坂	さか：	坂(さか)
版	ハン：	出版(しゅっぱん)する・出版社(しゅっぱんしゃ)

ごい

20 **2** 都会(とかい)での生活(せいかつ)に**憧(あこが)れて**東京(とうきょう)に出(で)てきたが、家賃(やちん)も物価(ぶっか)も高(たか)くて大変(たいへん)だ。

I moved to Tokyo because I was enamored with city life, bent rent and the cost of living is terribly expensive.
向往都市生活来到了东京，房租物价都很贵很辛苦。
도시 생활을 동경해서 도쿄로 나왔지만 , 임대료도 물가도 비싸서 힘들다 .

憧れる (あこがれる) admire, respect / 向往、憧憬 / 동경하다

願う (ねがう) wish, hope / 希望、期待、恳请 / 바라다 ◆成功(せいこう)を**願(ねが)う**

従う (したがう) obey, follow / 跟从、听从、跟随 / 따르다 ◆親(おや)に**従(したが)う**

頼る (たよる) depend on, rely on / 依靠、依赖、仰仗 / 의지하다 ◆友人(ゆうじん)を**頼(たよ)る**

ぶんぽう

21 **3** 田中(たなか)さんは、音楽(おんがく)の先生(せんせい)**だけに**、歌(うた)がうまい。

Tanaka-san sings so well because he is a music teacher.
田中不愧是音乐老师 , 歌唱得真好。 / 다나카 씨는 과연 음악 교사인 만큼 , 노래를 잘해 .

～だけに **～だけあって** ～ being the case, because ～ , as to be expected from ～ / 正因为 ~、真不愧 ~ / (과연) ~ 인 만큼

◆田中(たなか)さんは若(わか)い**だけあって**、けがが治(なお)るのが早(はや)い。

～だけのことはある be worth ~ / 真不愧是 ~、没白 ~ / ~ 만큼의 것이 있다

◆試験(しけん)で１番(ばん)になった。一生懸命(いっしょうけんめい)勉強(べんきょう)した**だけのことはあった**。

22 祭りで<u>迷子</u>になった児童を保護(ほご)しています。

1　まいこ
2　まいご
3　めいご
4　めいこ

8 □□□

23 歩き始めの幼児は＿＿＿＿＿ので、親は大変だ。

1　目がない
2　目がきかない
3　目が回らない
4　目がはなせない

8 □□□

24 留学する＿＿＿＿＿、注意すべきことは何でしょう。

1　にわたり
2　にとって
3　にしても
4　にあたって

8 □□□

こたえ

22 **2** 祭(まつ)りで**迷子(まいご)**になった児童(じどう)を保護(ほご)しています。

We take care of children who get lost at festivals.
我们照看着在祭礼活动上走失的孩子。/ 마쓰리 (축제) 에서 미아가 된 아동을 보호하고 있습니다.

もじ

[祭] **サイ**：大学祭(だいがくさい)・祭日(さいじつ)
まつ (-り)：祭(まつ)り

[迷] **メイ**：迷惑(めいわく)な・迷信(めいしん)
まよ (-う)：迷(まよ)う　＊迷子(まいご)

[童] **ドウ**：童話(どうわ)・児童(じどう)

23 **4** 歩(ある)き始(はじ)めの幼児(ようじ)は**目(め)が離(はな)せない**ので、親(おや)は大変(たいへん)だ。

An infant that has just learned to walk is worrisome for parents because they have to keep their eyes on them. / 刚刚开始学步的孩子要一直看着，父母很辛苦。/ 걸음을 뗀 유아에게서는 눈을 뗄 수 없어서 , 부모는 힘들다 .

ごい

[**目が離せない**]（めがはなせない） unable to take one's eyes off of something / 离不开视线、总要看着 / 눈을 뗄 수 없다

[**目がない**]（めがない） extremely fond of, have a weakness for / 盲目、着迷、没有判断力 / 매우 좋아하다

◆甘(あま)いものに**目(め)がない**

[**目が回る**]（めがまわる） be dizzy, feel faint / 忙得团团转、头晕眼花 / 눈이 핑핑 돌다．매우 바쁘다.

◆忙(いそが)しくて**目(め)が回(まわ)り**そうだ。

24 **4** 留学(りゅうがく)する**にあたって**、注意(ちゅうい)すべきことは何(なん)でしょう。

What should I be careful of when I go abroad to study?
留学的时候 , 需要注意哪些事呢 ? / 유학함에 있어서 주의해야 할 것은 무엇일까요 ?

ぶんぽう

[**～にあたって**] [**～にあたり**] [**～に際し(て)**]

upon / at / due to ~ / ~ 的时候、~ 之际 / ~ 에 즈음하여

◆本日(ほんじつ)の会(かい)を始(はじ)める**にあたり**、会長(かいちょう)からご挨拶(あいさつ)があります。

◆この授業(じゅぎょう)を受(う)ける**に際(さい)して**、次(つぎ)のことを守(まも)ってください。

25 金額を確認して、ここにしょめいしてください。

1　著名
2　暑名
3　署名
4　書名

9 □□□

26 今急いで結論を出さないで、少し＿＿＿＿を見てからにしましょう。

1　時間
2　様子
3　程度
4　都合

9 □□□

27 工事中＿＿＿＿、通行止めとなっております。

1　にさえ
2　について
3　につき
4　によると

9 □□□

もじ

25 **3** 金額を確認して、ここに**署名**してください。

Please sign here after checking the final amount.
确认金额后请在这里签名。 / 금액을 확인하고 여기에 서명하십시오 .

額 **ガク**：金額・額
ひたい：額
認 **ニン**：確認する
みと（-める）：認める
署 **ショ**：署名・消防署・警察署・税務署
著 **チョ**：著者・著名な
あらわ（-す）：著す **いちじる**（-しい）：著しい

ごい

26 **2** 今急いで結論を出さないで、少し**様子**を見てからにしましょう。

Let's not rush to conclusions, and instead take a look at things and then decide.
现在不要急着下结论，看看情况再说。
지금 서둘러 결론을 내지 말고 , 조금 상황을 보고 나서 합시다 .

様子（ようす）（＝状態）

- 川の**様子**を見に行こう。

  Let's go see how the river is doing. / 去看看河的情况。/ 강의 상황을 보러 갑시다 .

- 手術するかどうかは**様子**を見てからにしましょう。
- あの人、ちょっと**様子**が変じゃない？

ぶんぽう

27 **3** 工事中**につき**、通行止めとなっております。

OK 工事中のため／工事中につきまして

Due to construction, this road is closed.
因为正在施工，现在禁止通行。 / 공사 중이므로 통행 금지되어 있습니다 .

～につき （＝～のため） ＊理由を表す

- 雨天**につき**、試合は中止します。
- これはセール商品**につき**、返品できません。

28 人前で話すのは慣れているのに、今回は<u>珍しく</u>胃が痛くなって、逃げ出したい気持ちだった。

1　はずかしく
2　めずらしく
3　おとなしく
4　なつかしく

10 □□□

もじ

29 もうあなたには________いけない。別れましょう。

1　ついて
2　やって
3　追って
4　過ごして

10 □□□

ごい

30 土地開発が進む________、緑が少なくなってきた。

1　せいか
2　につれて
3　とたんに
4　ばかりか

10 □□□

ぶんぽう

もじ

28 **2** 人前で話すのは慣れているのに、今回は**珍しく**胃が痛くなって、逃げ出したい気持ちだった。

Even though I'm used to talking in front of people, this time my stomach strangely started hurting and I felt like I just wanted to run away. / 明明已经习惯了在大家面前说话，但这次突然胃疼起来，真想逃走。 / 사람 앞에서 말하는 것은 익숙해 있는데 , 이번에는 이상하게 위가 아파서 , 도망치고 싶은 기분이었다 .

珍 **めずら** (- しい) **:** 珍しい

胃 **イ** : 胃

逃 **トウ** : 逃走する

に (- げる / - がす) : 逃げる・逃がす　**のが** (- れる / - す) : 逃れる・逃す・見逃す

ごい

29 **1** もうあなたには**ついて**いけない。別れましょう。

I just cannot keep up with you anymore. Let's break up.
我已经跟不上你的节奏了，我们分手吧。 / 더는 당신을 따라갈 수 없다 . 헤어집시다 .

ついていく

◆友人の買い物に**ついていく**。

I am going to accompany my friend shopping. 跟朋友去买东西。 / 친구의 쇼핑에 따라가다 .

◆彼の考えには**ついていけない**。

I cannot follow his way of thinking. / 跟不上他的思路。 / 그의 생각에는 따를 수 없다 .

30 **2** 土地開発が進む**につれて**、緑が少なくなってきた。

As land development progresses, there is less and less greenery left.
随着土地开发的进展 , 树木减少了。 / 토지 개발이 진행되면서 자연이 줄어들고 있다 .

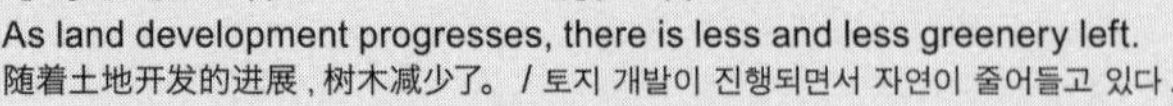
aにつれ(て)b | **aに 従って/従い b** | **aに 伴って/伴い b**

ぶんぽう

＊ a と一緒に b も変わること b changes along with a / 和 a 一起 b 也变 / a 와 함께 b 도 변화함

◆車が増える**に従って**、事故も増える。

◆イベントの実施**に伴い**、道路の渋滞が予想される。

31 建設中のビルのパネルが歩道に<u>倒れ</u>、歩いていた人が死亡した。

1　こわれ
2　われ
3　たおれ
4　やぶれ

11 □□□

もじ

32 電車が遅れていたせいか、あまりの混雑に乗車するのを＿＿＿＿くらいだった。

1　あせる
2　あわてる
3　ためらう
4　こらえる

11 □□□

ごい

33 タバコの煙は、吸わない人＿＿＿＿迷惑だ。

1　にしたら
2　でさえ
3　に際し
4　にしても

11 □□□

ぶんぽう

こたえ

もじ

31 **3** 建設中のビルのパネルが歩道に**倒れ**、歩いていた人が死亡した。

A panel from the building that was under construction fell onto the sidewalk and a person walking along was killed.
在建的大楼楼板倒在人行道上，路过的行人死亡了。
건설 중인 빌딩의 패널이 보도에 쓰러져 걷고 있던 사람이 사망했다.

設 **セツ**：建設する・設計する・設定する

倒 **トウ**：面倒な・倒産する

たお（-れる / -す）：倒れる・倒す

亡 **ボウ**：死亡する

な（-い）：亡くなる・亡くす

ごい

32 **3** 電車が遅れていたせいか、あまりの混雑に乗車するのを**ためらう**くらいだった。

Perhaps due to the train being late, it was so crowded that I was hesitant to get on.
可能是电车晚了，实在是挤得都不知道要不要上去了。
기차가 지연됐던 탓인지, 너무 혼잡해서 승차를 꺼릴 정도였다.

ためらう hesitate / 踌躇、犹豫、迟疑 / 꺼리다

慌てる（あわてる） be flustered / 慌张、急忙 / 서두르다

◆**慌てていて**階段から落ちた。

こらえる bear, endure / 忍耐、挺住、宽恕 / 참다（＝がまんする）

◆痛みを**こらえる**

ぶんぽう

33 **1** タバコの煙は、吸わない人**にしたら**迷惑だ。

Cigarette smoke is annoying for those who do not smoke.
对不吸烟的人来说，喷出的烟是一种烦扰。 / 담배 연기는, 비흡연자로서는 폐가 된다.

Nにしたら （＝Nにとっては）

Nでさえ ◆タバコを吸う人のそばにいると、吸わない人**でさえ**害を受ける。

～に際し(て) ◆タバコを吸う**に際して**、害について知っておくべきだ。

～にしても ◆タバコを吸う**にしても**、健康やマナーを考えるべきだ。

34 あの人はめったにおこらない。

1　努らない
2　起こらない
3　怒らない
4　怖こらない

12 □□□

もじ

35 病気になったり、事故にあったりと、最近＿＿＿＿＿ことがない。

1　ましな
2　ろくな
3　らくな
4　めんどうな

12 □□□

ごい

36 教育＿＿＿＿＿諸問題について考えよう。

1　にかける
2　にわたる
3　における
4　にあたる

12 □□□

ぶんぽう

34

もじ

3 あの人はめったに**怒らない**。

That person hardly ever gets mad. / 那个人很少发火。 / 저 사람은 좀처럼 화내지 않는다.

怒 **おこ** (-る)：怒る

努 **ド**：努力する

つと (-める)：努める

起 **キ**：起床

お (-きる / -こす)：起きる・起こす

怖 **フ**：恐怖

こわ (-い)：怖い

35

ごい

2 病気になったり、事故にあったりと、最近**ろくな**ことがない。

Between me getting sick and getting into a car accident, nothing has been going right lately. / 又是生病又是事故，最近都没有什么令人满意的好事。 / 병이 나거나 사고가 일어나거나, 최근에는 변변한 일이 없다.

ろくな decent, satisfactory / 好、令人满意、像样 / 변변하다

◆最近、**ろくな**番組がない。（＝十分に～ない）

ましな preferable, better / 更好、胜于 / ～보다는 낫다

◆そんなことをするなら、死んだ方が**ましだ**。

楽な (らくな) easy, comfortable / 轻松、舒适 / 편하다

◆生活はなかなか**楽に**ならない。

36

ぶんぽう

3 教育**における**諸問題について考えよう。 **OK** 教育の諸問題

Let us think about various problems related to education.

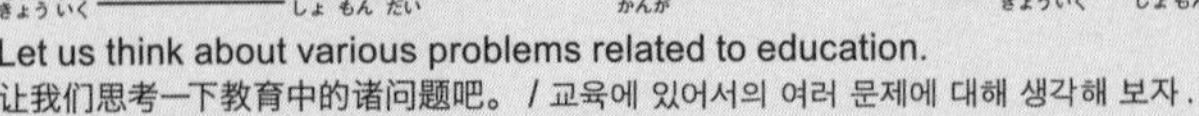
让我们思考一下教育中的诸问题吧。 / 교육에 있어서의 여러 문제에 대해 생각해 보자.

～におけるN （＝～での）

◆アジア**における**日本の役割について考えた。

～において （＝～で）

◆大ホール**において**説明会を行います。

37 泥棒はすぐに<u>捕まった</u>。

1　つかまった
2　とまった
3　はさまった
4　つまった

13 □□□

38 A「車を買い換えようか。」
B「そんな＿＿＿＿＿はないよ。」

1　都合
2　暮らし
3　気分
4　余裕

13 □□□

39 こんな難しい問題、でき＿＿＿＿＿。

1　わけがない
2　っこない
3　ないっぽい
4　ものか

13 □□□

こたえ

もじ

37 **1** 泥棒(どろぼう)はすぐに**捕(つか)まった**。

The robber was caught immediately. / 强盗立刻被逮捕了。 / 도둑은 곧 붙잡혔다.

泥 **どろ**：泥(どろ)・泥棒(どろぼう)

棒 **ボウ**：棒(ぼう)・泥棒(どろぼう)

捕 **ホ**：逮捕(たいほ)する

つか (-まる / -まえる)：捕(つか)まる・捕(つか)まえる

と (-る / -らえる)：捕(と)る・捕(と)らえる

ごい

38 **4** A「車(くるま)を買(か)い換(か)えようか。」

B「そんな**余裕(よゆう)**はないよ。」

A: "Maybe we should buy a new car." B: "We cannot afford something like that."
A:"想换新车吗?" B:"没这闲钱呢。" / A「자동차를 새로 사서 바꿀까 ?」B「그런 여유는 없어요 .」

余裕 (よゆう) surplus, margin, (extra) room, luxury / 余地、富余 / 여유

◆待(ま)ち合(あ)わせの時間(じかん)まで**余裕(よゆう)**がない。

We do not have any (extra) time until the appointment. / 约定见面的时间之前我都没空。 / 약속 시각까지 여유가 없다.

◆ソファーを置(お)く**余裕(よゆう)**がない。

There is no room to put a sofa. / 没有地方放沙发。 / 소파를 둘 여유가 없다

暮らし (くらし) livelihood, life / 生活、家境 / 생활 ◆日本(にほん)での**暮(く)らし**

ぶんぽう

39 **2** こんな難(むずか)しい問題(もんだい)、でき**っこない**。

OK できるわけがない／できるものか

There is no way I can do such a difficult problem.
这么难的问题，绝对不会做。 / 이렇게 어려운 문제, 할 수 있을 리가 없다.

～っこない ＊V~~ます~~っこない（＝Vできるわけがない）

◆そんなにたくさん食(た)べられっ**こない**。（＝食(た)べられるものか）

～ものか **～もんか** ＊強(つよ)い否定(ひてい)

＊見(み)る**ものか** / 暑(あつ)い**ものか** / きれいな**ものか** / 病気(びょうき)な**ものか**

40 きせつの中で、いつが一番好きですか。

1 気節
2 季節
3 委節
4 李節

14 □□□

41 コードが＿＿＿＿＿に届かないから、延長コードを使おう。

1 スイッチ
2 レバー
3 コンセント
4 サイズ

14 □□□

42 結局はあきらめる＿＿＿＿＿、一度はやってみるべきだ。

1 たびに
2 にしたら
3 にこそ
4 にしろ

14 □□□

もじ

40 **2** 季節の中で、いつが一番好きですか。

What season do you like the most?
一年四季中你最喜欢哪个？ / 계절 중에서 , 언제가 제일 좋습니까 ?

季 キ：季節・四季
節 セツ：調節する・節約する
ふし：節
委 イ：委員・委員会

ごい

41 **3** コードが**コンセント**に届かないから、延長コードを使おう。

This cord will not reach the plug so let's use an extension cord.
电线够不到插座，用加长电线吧。 / 코드가 콘센트에 닿지 않으니까 연장코드를 사용하자 .

コンセント	electrical outlet / 插座 / 콘센트
スイッチ	switch / 开关 / 스위치
レバー	lever / 杆 / 레버
サイズ	size / 尺寸 / 사이즈

ぶんぽう

42 **4** 結局はあきらめる**にしろ**、一度はやってみるべきだ。

OK （たとえ）あきらめるにしても／あきらめるにせよ

Even if you do eventually give up, you should still try at least once.
就算是最终放弃 , 也应该尝试一次。 / 결국은 포기하게 되더라도 , 한번은 해 봐야 한다 .

～にしろ **～せよ** even if ~ / 即使 ~、就算是 ~ / ~ 라 하더라도

◆来ない**にしろ**連絡をください。

aにしろbにしろ **aにせよbにせよ** （＝a でも b でも）

◆好き**にしろ**、嫌い**にしろ**、全部食べてください。（＝好きでも嫌いでも）
◆多い**にせよ**、少ない**にせよ**問題はある。（＝多くても少なくても）

43 この虫に近づくと、毒の針で<u>刺される</u>。

1　しされる
2　すされる
3　せされる
4　さされる

15 □□□

44 ネットショッピングで安く買ったと思ったが、送料がかかってかえって高く＿＿＿＿。

1　ついた
2　かけた
3　いれた
4　とれた

15 □□□

45 あなたの言っていることは、言い訳＿＿＿＿。

1　にすぎない
2　しかない
3　ということだ
4　にかぎる

15 □□□

こたえ

43 **4** この虫に近づくと、毒の針で**刺される**。

If you come close to one of these bugs, it will sting you with its stinger.
如果靠近这种虫子，会被毒针刺到。 / 이 벌레에 다가가면 , 독 바늘에 찔린다 .

もじ

毒 **ドク**：毒・気の毒な

針 **シン**：方針

はり：針

刺 **シ**：名刺

さ (-す)：刺す・刺身

44 **1** ネットショッピングで安く買ったと思ったが、送料がかかってかえって高く**ついた**。

I thought I had bought something on the Internet at a low price, but shipping ended up costing a lot.
本来想在网上买更便宜点，但加上运费反而更贵了。
인터넷 쇼핑에서 싸게 샀다고 생각했는데 , 배송료가 붙어서 , 오히려 비싸게 들었다 .

ごい

高くつく (たかくつく) be costly, be expensive / 用更贵的价格买入 / 비싸게 치이다

◆外食は**高くつく**

◆タクシーで行く方が安くつく場合がある。

45 **1** あなたの言っていることは、言い訳**に過ぎない**。

OK 言い訳でしかない

What you say is just an excuse.
你所说的只不过是辩解。 / 당신이 말하고 있는 것은 변명에 불과하다 .

ぶんぽう

～に過ぎない **Nでしかない** （＝～だけで、それ以上ではない）

◆実行しなければ、ただの夢**でしかない**。（＝夢に過ぎない）

～に限る （＝～が一番いい）

◆寒いときは温かいものを食べる**に限る**。

46 タバコを吸いたいんですが、<u>灰皿</u>はありますか。

1　かいざら
2　ひざら
3　はいざら
4　かさら

47 私はあなたの秘密(ひみつ)を＿＿＿＿＿いません。

1　もれて
2　もらして
3　もたれて
4　もたらして

16 □□□

48 うれしい＿＿＿＿＿、希望の大学に合格しました。

1　ことは
2　というと
3　ことに
4　ことだから

16 □□□

もじ

46 **3** タバコを吸(す)いたいんですが、**灰皿**(はいざら)はありますか。

I would like to have a smoke. Do you have an ashtray?
我想抽烟，请问有烟缸么？ / 담배를 피우고 싶은데 , 재떨이는 있습니까 ?

吸 **キュウ**：呼吸(こきゅう)
す(-う)：息(いき)を吸(す)う・タバコを吸(す)う

灰 **はい**：灰(はい)・灰皿(はいざら)

皿 **さら**：(お)皿(さら)・灰皿(はいざら)

ごい

47 **2** 私(わたし)はあなたの秘密(ひみつ)を**もらして**いません。

I have not shared your secret.
我没有泄露你的秘密。 / 나는 당신의 비밀을 누설하지 않았습니다 .

もらす let leak, reveal / 泄露、透露、遗漏 / 새게 하다

＊もれる ◆水(みず)が**もれる** ◆音(おと)が**もれる**

もたれる ① lean against, recline on ② be uneasily digested / 凭靠、依靠 / 기대다

◆壁(かべ)に**もたれる**

もたらす bring about / 带来、招致 / 초래하다

◆台風(たいふう)20号(ごう)は大(おお)きい被害(ひがい)を**もたらした**。

ぶんぽう

48 **3** うれしい**ことに**、希望(きぼう)の大学(だいがく)に合格(ごうかく)しました。

I am happy that I got into the university I wanted to.
高兴的是 , 考上了想上的大学。 / 다행히 원하는 대학에 합격했습니다 .

~ことに ＊強調(きょうちょう) emphasis / 强调 / 강조

◆残念(ざんねん)な**ことに**、試験(しけん)に落(お)ちてしまった。

◆驚(おどろ)いた**ことに**、その子(こ)は難(むずか)しい文章(ぶんしょう)をすらすら読(よ)んだ。

Nのことだから because N is ~ / 因为是 N / N(일) 이니까

◆まじめな彼(かれ)**のことだから**、休(やす)みでも勉強(べんきょう)しているだろう。

49 あせが出てきた。

1　液
2　汗
3　涙
4　泥

17 □□□

もじ

50 休日なので家で＿＿＿＿＿いたのに、電話で会社に呼び出されてしまった。

1　くらして
2　ふざけて
3　のんきして
4　くつろいで

17 □□□

ごい

51 日本語の能力に＿＿＿＿＿クラスが選べます。

1　関して
2　応じて
3　際して
4　反して

17 □□□

ぶんぽう

もじ

49 **2** <u>汗</u>が出てきた。

I am starting to sweat. / 出汗了。 / 땀이 나기 시작했다 .

- 汗 **あせ**：汗
- 液 **エキ**：血液・液体
- 涙 **なみだ**：涙
- 泥 **どろ**：泥・泥棒

ごい

50 **4** 休日なので家で**<u>くつろいで</u>**いたのに、電話で会社に呼び出されてしまった。

I got a phone call to come to the office even though it was a holiday and I was at home relaxing. / 因为是休息天本来在家挺惬意的，可被一个电话叫去公司了。 / 휴일이라서 집에서 쉬고 있었는데 , 전화로 회사에 호출됐다 .

- **くつろぐ** relax, feel at home / 惬意、放松、轻松 / 편안히 지내다
- **暮らす**（くらす） live, spend time / 生活、过日子 / 지내다
- **ふざける** joke around, kid / 开玩笑、戏弄、调情 / 까불다
- **のんきにする** do something in carefree manner / 悠闲、漫不经心、不拘小节 / 느긋하다

のんきする

言わない!

ぶんぽう

51 **2** 日本語の能力に**<u>応じて</u>**クラスが選べます。

You can choose a course that suits the level of your Japanese.
能根据日语能力选择班级。 / 일본어 능력에 따라 클래스를 선택할 수 있습니다 .

Nに応じて depending on N, in accordance with N / 根据 N / N 에 따라

（＝ N に合わせて）

Nに反して （＝ N とは反対の）

◆**<u>意に反して</u>**… against one's will / 违背心意 / 뜻에 반해서

◆<u>予想に**反した**</u>結果となった。

52 ここは新緑も紅葉もきれいだし、春には桜(さくら)が咲きます。

1　こよう
2　こうよう
3　くうよう
4　くよう

18 □□□

もじ

53 A「例の新しい企画(きかく)の話なんですが…。」
B「今、ここでその話は、＿＿＿＿。」

1　よしましょう
2　はがしましょう
3　やっつけましょう
4　ほうりましょう

18 □□□

ごい

54 この道路＿＿＿＿行けば、目的地に着きます。

1　にわたって
2　にそって
3　にあたって
4　に先だって

ぶんぽう

18 □□□

こたえ

もじ

52 **2** ここは新緑(しんりょく)も**紅葉(こうよう)**もきれいだし、春(はる)には桜(さくら)が咲(さ)きます。

This place is beautiful when new leaves start to sprout and when they turn colors in autumn. In the spring, cherry blossoms also bloom.
这里的新绿和红叶都很漂亮，春季也开樱花。
이곳은 신록도 단풍도 아름답고 , 봄에는 벚꽃이 핍니다 .

[緑] **リョク**：緑茶(りょくちゃ)・新緑(しんりょく)
みどり：緑(みどり)

[紅] **コウ**：紅茶(こうちゃ)・紅葉(こうよう)　＊紅葉(もみじ)
べに：口紅(くちべに)

[咲] **さ**(-く)：咲(さ)く

ごい

53 **1** A「例(れい)の新(あたら)しい企画(きかく)の話(はなし)なんですが…。」
B「今(いま)、ここでその話(はなし)は、**よしましょう**。」　OK やめましょう

A: "I want to talk about the new product we have been discussing." B: "Let's not talk about that here and now." / A : "之前说的新企划的事…"　B : "现在我们就在这里结束这个话题吧。" / A「예의 그 새로운 기획의 이야기입니다만 .」B「지금 , 여기서 그 이야기는 하지 맙시다 .」

[よす] stop, quit / 终止、停下 / 그만두다（＝やめる）　◆**よせ**（＝やめろ）

[はがす] tear off, peel off / 剥下、揭下 / 떼다　◆切手(きって)を**はがす**

[やっつける] do away with, finish off, beat / 结束、干完、击败 / 해치우다
◆虫(むし)を**やっつける**

[放る] (ほうる) throw, toss / 放弃、置之不顾、抛掉 / 내버려두다　◆**放(ほう)って**おく

54 **2** この道路(どうろ)**に沿(そ)って**行(い)けば、目的地(もくてきち)に着(つ)きます。

You will get to your destination if you follow this road.
只要沿着这条路走 , 就能到达目的地。 / 이 도로를 따라가면 목적지에 도착합니다 .

[Nに沿って]　（＝Nのとおりに）

◆この矢印(やじるし)**に沿(そ)って**進(すす)んでください。

[Nに先立って]　（＝Nの前(まえ)に）

◆開店(かいてん)**に先立(さきだ)って**オープニングセレモニーを行(おこな)います。

55 湖にボートが<u>うかんで</u>いる。

1　浮かんで
2　沈かんで
3　流かんで
4　注かんで

19 □□□

56 A「新しい仕事はどう？」
B「きついけれど、＿＿＿＿＿がありますよ。」

1　あこがれ
2　いじめ
3　こだわり
4　やりがい

19 □□□

57 専門家の予測＿＿＿＿＿景気は悪くなった。

1　に基づいて
2　に応えて
3　によって
4　に反して

19 □□□

もじ

55 **1** 湖(みずうみ)にボートが**浮(う)かんで**いる。

There is a boat on the lake. / 湖上漂着小船。 / 호수에 보트가 떠 있다 .

湖 **コ**：琵琶湖(びわこ)

みずうみ：湖(みずうみ)

浮 **う** (-く / -かぶ / -かべる)：浮(う)く・浮(う)かぶ・浮(う)かべる

沈 **しず** (-む)：沈(しず)む

注 **チュウ**：注意(ちゅうい)する・注射(ちゅうしゃ)

そそ (-ぐ)：注(そそ)ぐ

ごい

56 **4** A「新(あたら)しい仕事(しごと)はどう？」

B「きついけれど、**やりがい**がありますよ。」

A: "How is your new job?" B: "It is a lot of hard work, but it is worth it." / A : "新的工作怎么样？" B: "很紧张, 但是很值得做。" / A「새로운 일은 어때 ?」B「힘들지만 , 보람이 있어요 .」

やりがい worth doing / 有价值、有奔头儿 / 보람

＊生(い)きがい purpose in life / 有意义、生存的价值 / 사는 보람

憧れ (あこがれ) adoration, aspiration / 憧憬、向往 / 동경

いじめ bullying, teasing / 欺负、凌辱 / 괴롭힘

こだわり ① fixation ② specialization / 精益求精之处、特色 / 구애되다

＊食材(しょくざい)にこだわる

ぶんぽう

57 **4** 専門家(せんもんか)の予測(よそく)**に反(はん)して**景気(けいき)は悪(わる)くなった。

Contrary to the analysts' predictions, the economic situation has deteriorated.
与专家们的预测相反 , 经济状况恶化了。 / 전문가의 예측에 따라 경기는 나 빠졌다 .

Nに反して be against N / 与 N 相反 / N와 달리（＝Nとは反対(はんたい)の）

Nに基づいて based on N / 根据 N / N에 따라

◆私(わたし)たちは過去(かこ)のデータ**に基(もと)づいて**予測(よそく)している。

Nに応えて respond to N / 不辜负 N / N에 따라서

◆そのチームはファンの応援(おうえん)**に応(こた)えて**優勝(ゆうしょう)した。

58 週に一度、床を磨く。

1　ゆか
2　はしら
3　のき
4　さか

20 □□□

もじ

59 そろそろ休みをもらわないと＿＿＿＿よ。

1　体がもたない
2　やる気にならない
3　まともにならない
4　手が空かない

20 □□□

ごい

60 いつも持っているのに、今日＿＿＿＿傘(かさ)がない。

1　にかぎって
2　にかぎらず
3　かぎりで
4　をかぎりに

20 □□□

ぶんぽう

こたえ

もじ

58 **1** 週に一度、**床**を磨く。

I wipe the floor once a week. / 一周擦一次地板。 / 일주일에 한 번 바닥을 닦는다.

床 **ショウ**：起床する

ゆか：床　**とこ**：床の間・床屋

磨 **みが**（-く）：磨く

柱 **チュウ**：電柱

はしら：柱

軒 **ケン**：1軒、2軒…

のき：軒

ごい

59 **1** そろそろ休みをもらわないと**体がもたない**よ。

If I do not take a vacation soon, my body is going to fall apart.
再不休息的话，体力要透支的啊。 / 슬슬 휴가를받지 않으면 몸이 견디어 내지 못해요.

体がもたない（からだがもたない） not able to maintain one's health / 身体透支 / 몸이 견디어 내지 못하다

◆長時間労働で**体がもたない**

手が空く（てがあく） become available, become free / 有空 / 짬이 나다

◆**手が空いたら**、手伝ってください。

ぶんぽう

60 **1** いつも持っているのに、今日**に限って**傘がない。

I always carry an umbrella but today of all days, I forgot it.
总是带着的，可偏偏今天没带伞。 / 항상 가지고 있는데, 오늘따라 우산이 없다.

Nに限って　（＝Nだけ）　◆今日**に限って** today of all days / 只限今天 / 오늘따라

Nに限らず　（＝Nだけでなく）

◆今日**に限らず** not only today / 不限今天 / 오늘뿐만 아니라

N限りで **Nを限りに**　（＝Nを最後に）

◆今日**限りで**（＝今日**を限りに**） today is the last day / 到今天为止 / 오늘까지만

61 祖父は子供や孫たちに<u>囲まれて</u>、幸せそうです。

1　はさまれて
2　めぐまれて
3　うとまれて
4　かこまれて

もじ

21 □□□

62 妹はあめやらガムやら＿＿＿＿何かを口に入れている。

1　うんと
2　じょじょに
3　ぞくぞくと
4　たえず

ごい

21 □□□

63 この映画は、事実＿＿＿＿制作された。

1　につれて
2　にもとづいて
3　のもとで
4　である反面

ぶんぽう

21 □□□

もじ

61 **4** 祖父は子供や孫たちに**囲まれて**、幸せそうです。

My grandfather looks happy surrounded by his children and grandchildren.
祖父被众多子女孙辈围绕着，看上去很幸福。
할아버지는 자손들에게 둘러싸여 , 행복해 보입니다 .

祖 ソ：祖父・祖母・祖先・先祖

孫 ソン：子孫

まご：孫

囲 イ：周囲・範囲

かこ（-む）：囲む

ごい

62 **4** 妹はあめやらガムやら**絶えず**何かを口に入れている。

My younger sister always has things like candy or gum in her mouth. / 妹妹不管是糖啦口香糖啦，不停地往嘴里塞。 / 여동생은 사탕이며 껌이며 끊임없이 뭔가를 입에 넣고 있다 .

絶えず（たえず） constantly, continually / 不断、连续、无休止 / 끊임없이

うんと ① a great deal ② a great deal of effort / 大量、很多 / 훨씬

◆地下鉄ができて**うんと**便利になった。

徐々に（じょじょに） gradually, steadily / 缓缓地、慢慢地 / 서서히

◆**徐々に**できるようになる

続々と（ぞくぞくと） successively, one after another / 陆续、纷纷、不断 / 잇달아

◆**続々と**人が集まる

ぶんぽう

63 **2** この映画は、事実**に基づいて**制作された。

This movie is based on a true story.
这部电影是根据事实制作的。 / 이 영화는 사실을 기반으로 제작되었다 .

Nに基づいて based on N / 根据 N / N 에 의거하여

Nのもとで under N / 在 N 之下 / N 하에서

◆厳しい指導**のもとで**訓練が続けられた。

a 反面 b ~ is a but on the other hand ~ is b / 有 a 的一面，相反也有 b 的一面 / a 반면 b

◆この機械は便利な**反面**、故障も多い。

64 お母さん、お湯が<u>わいた</u>よ。

1 沸いた
2 浮いた
3 乾いた
4 蒸いた

もじ

22 □□□

65 ネットの広告料はけっこう＿＿＿＿らしい。

1 かせぐ
2 もうかる
3 まかせる
4 つながる

ごい

22 □□□

66 体調が悪い＿＿＿＿、働き続けた。

1 にもかかわらず
2 に反して
3 のに加えて
4 のを問わず

ぶんぽう

22 □□□

もじ

64 **1** お母さん、お湯が**沸いた**よ。

Mom, the water is boiling. / 妈妈，水开了。 / 엄마，물이 끓었어요．

沸 **わ** (-く / -かす)：沸く・沸かす

浮 **う** (-く / -かぶ / -かべる)：浮く・浮かぶ・浮かべる

乾 **カン**：乾電池

かわ (-く / -かす)：乾く・乾かす

蒸 **ジョウ**：蒸気・蒸発

む (-す)：蒸す・蒸し暑い

ごい

65 **2** ネットの広告料はけっこう**もうかる**らしい。 **OK** 稼げる

Online advertising is pretty profitable.
网上的广告费好像挺赚钱的。 / 인터넷 광고료는 꽤 벌이가 되는 것 같다．

もうかる be profitable, make money / 赚、赚钱 / 벌이가 되다

＊もうける（＝稼ぐ）

稼ぐ (かせぐ) earn income / 挣钱、争取 / 벌다

任せる (まかせる) entrust to someone / 托付、交给、委托 / 맡기다

◆私に**任せて**ください。

つながる be connected, be tied together / 连接、株连、有关系 / 연결되다

◆電話が**つながらない**

ぶんぽう

66 **1** 体調が悪い**にもかかわらず**、働き続けた。

I kept working even though I was not feeling well.
尽管身体不舒服，还在继续工作。 / 몸이 안 좋은 데도 불구하고，계속 일했다．

～にもかかわらず although ~ , in spite of ~ / 尽管 ~ / ~ 에도 불구하고

(＝～(な)のに)

◆大雨(が降っている)**にもかかわらず**、試合は続けられた。

Nを問わず regardless of N / 不论 N / N 을 불문하고（＝Nに関係なく）

◆この行事には年齢**を問わず**参加できる。

67 「九州一周列車の旅」を１名様にプレゼントします。

1 でんしゃ
2 れいしゃ
3 れっしゃ
4 きしゃ

もじ

23 □□□

68 携帯電話の機能を使い＿＿＿＿人がどれだけいるだろうか。

1 こんでいる
2 こなしている
3 まわしている
4 はたしている

ごい

23 □□□

69 彼は周囲の期待に＿＿＿＿がんばった。

1 すれば
2 つけて
3 つれて
4 こたえて

ぶんぽう

23 □□□

こたえ

67 **3** 「九州一周**列車**の旅」を１名様にプレゼントします。

We will be giving one person a train trip through Kyushu.
为一位顾客提供“环游九州列车之旅”的大奖。/「규슈 일주 열차 여행」을 한 분에게 선물합니다.

もじ

州 **シュウ**：州・九州
周 **シュウ**：一周・周囲・円周
まわ（-り）：周り
列 **レツ**：列・行列・列車・列島

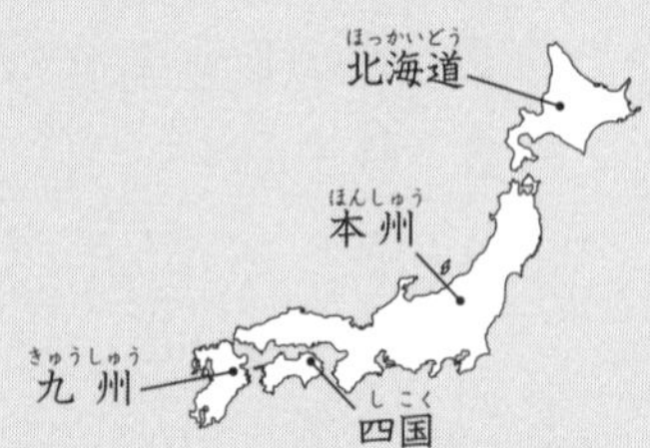

68 **2** 携帯電話の機能を使い**こなしている**人がどれだけいるだろうか。

I wonder how many people have mastered how to use the functions of their cellular phones.
有多少人能熟练运用手机功能？ / 휴대전화 기능을 잘 다루고 있는 사람이 얼마나 있을까.

ごい

こなす be good at, be able to use / 运用自如、掌握 / 능숙하게 사용하다

- 仕事を**こなす**
- スケジュールを**こなす**
- パソコンを使い**こなす**

＊使いはたす（＝全部使ってしまう）

69 **4** 彼は周囲の期待に**応えて**頑張った。

He worked hard to live up to the expectations of the people around him.
他为了不辜负周围的期望而做出了努力。 / 그는 주위의 기대에 부응해 열심히 했다.

ぶんぽう

Nに応えて respond to N, live up to N / 不辜负 N / N 에 응해

～につけ(て) （＝～の場合に／～のたびに）

- 彼のうわさを聞く**につけて**心配になる。
- 何か**につけ(て)** whenever ~ / 有点什么事 / 기회가 있을 때마다

＊ a につけ、b につけ（＝ a たび、b たび）

- テレビで国の様子を見る**につけ**、聞く**につけ**、帰りたくなる。

70 食べたら歯を<u>みがきましょう</u>。

1　省きましょう
2　抜きましょう
3　除きましょう
4　磨きましょう

24 □□□

71 電話の応対といっても、上司や先輩（せんぱい）に＿＿＿＿だけの仕事なので楽です。

1　取りこむ
2　取りくむ
3　取りあつかう
4　取りつぐ

24 □□□

72 30年＿＿＿＿研究を続けた。

1　を問わず
2　にわたって
3　にかけて
4　を中心に

24 □□□

もじ

70 **4** 食べたら歯を**磨きましょう**。

We should brush our teeth after eating. / 吃了后要刷牙。 / 먹으면 양치질을 합시다 .

磨 **みが** (- く)：磨く

省 **ショウ**：外務省・省エネ　**セイ**：反省する

はぶ (- く)：省く

抜 **ぬ** (- ける / - く)：抜ける・抜く

除 **ジョ**：削除する　**ジ**：掃除

のぞ (- く)：除く

ごい

71 **4** 電話の応対といっても、上司や先輩に**取り次ぐ**だけの仕事なので楽です。

You could say I handle phone calls, but really it is just an easy job of transferring calls to my superiors and supervisors. / 说是电话对应，也只不过是向上级或者前辈通报之类的工作而已，很轻松。/ 전화 대응이라 해도 , 상사나 선배에게 전하기만 하는 일이니까 수월합니다 .

取り次ぐ (とりつぐ) transfer, intermediate, convey / 通报、转达 / 전하다

取り込む (とりこむ) take in, bring in, adopt (a behavior) / 拉拢、笼络 / 골라 넣다

取り組む (とりくむ) wrestle with, come to grips with / 专心致力于 / 몰두하다

取り扱う (とりあつかう) handle, operate / 对待、操作、经办 / 취급하다

ぶんぽう

72 **2** 30年**にわたって**研究を続けた。　**OK** 30年もかけて

I did 30 years of research. / 30 年来一直持续研究。 / 30 년에 걸쳐 연구를 계속했다 .

Nにわたって over N, for N / 在 N 之内一直… / N 에 걸쳐

＊N＝時間・回数・場所の範囲

Nを中心に mainly in / of N / 以 N 为中心 / N 을 중심으로

◆彼は**西日本を中心に**活動している。

◆**野菜を中心とした食生活**をする。

73 やけどの恐れがありますから、絶対に手を<u>触れないで</u>ください。

1　さわれないで
2　ふれないで
3　すれないで
4　あたれないで

25 □□□

74 A「これ、うまく操作できないよ。不良品かな。」
B「買ったところに＿＿＿＿＿＿を言った方がいいんじゃない？」

1　コメント

2　クレーム
3　口(くち)コミ
4　イメージ

25 □□□

75 家族の協力＿＿＿＿＿＿、私の成功(せいこう)はなかった。

1　のせいで
2　のおかげで
3　をぬきに
4　をめぐって

25 □□□

こたえ

もじ

73 **2** やけどの恐れがありますから、絶対に手を**<u>触れないで</u>**ください。

Please do not touch because you might get burned.
有可能烧伤 , 绝不能用手碰。 / 화상의 우려가 있으므로 , 절대로 손을 대지 마십시오 .

恐	**キョウ**：恐縮する・恐怖
	おそ (-れる / -ろしい)：恐れる・恐れ・恐ろしい
絶	**ゼツ**：絶対に・絶滅する
	た (-える)：絶える
触	**さわ** (-る)：触る　**ふ** (-れる)：触れる

ごい

74 **2** A「これ、うまく操作できないよ。不良品かな。」
B「買ったところに**<u>クレーム</u>**を言った方がいいんじゃない？」

A: "I cannot get this to work. I wonder if it is defective." B: "Maybe you should file a complaint at the place you bought it." / A : "这个操作不了, 是不良品吧。" B : "去跟买的地方投诉不是更好吗? " / A「이거 , 잘 작동이 안되는데요 . 불량품인가」B「구매한 곳에 클레임을 말하는 것이 좋지 않을까 .」

クレーム	complaint, claim / 投诉 / 클레임 (배상 청구)	◆**クレーム**をつける
コメント	comment / 评论 / 견해	◆**コメント**する
ロコミ	（くちこみ） word of mouth / 口碑 / 입에서 입으로 전해지는 소식	◆**ロコミ**で広がる
イメージ	image, picture / 印象 / 이미지	

ぶんぽう

75 **3** 家族の協力**<u>を抜きに</u>**、私の成功はなかった。　**OK** なしに(は)

I would never have succeeded without my family's support. / 没有家人的合作 , 就没有我的成功。 / 가족의 협력 없이는 , 나의 성공은 없었다 .

N(を/は)抜きに(して)　without N / 除去 N 就没有… / N (을 / 은) 빼고

◆今日は<u>かたい話**を抜きに**</u>楽しもう。

◆この計画は<u>彼**抜きに**は</u>進められない。

Nをめぐって　over N / 围绕 N / N 을 둘러싸고

◆<u>土地開発**をめぐって**</u>、市民の意見が分かれた。

76 <u>筆</u>で漢字を書きました。

1　たけ
2　はね
3　ふで
4　ぼう

26 □□□

もじ

77 この椅子（いす）、デザインは＿＿＿＿＿けれど、すわり心地があんまりよくないね。

1　けっている
2　こっている
3　もっている
4　そっている

26 □□□

ごい

78 何かに＿＿＿＿＿、近所の人にはお世話になっている。

1　つけ
2　しろ
3　やら
4　せよ

26 □□□

ぶんぽう

もじ

76 **3** **筆**で漢字を書きました。

I wrote kanji with a writing brush. / 用毛笔写汉字。 / 붓으로 한자를 썼습니다 .

筆 **ヒツ**：鉛筆・筆記試験
ふで：筆

竹 **たけ**：竹

羽 **は**：羽根　**はね**：羽

棒 **ボウ**：棒・泥棒

ごい

77 **2** この椅子、デザインは**凝っている**けれど、すわり心地があんまりよくないね。

The design of this chair is elaborate, but it is not very comfortable. / 这个椅子设计上非常讲究，但坐起来不怎么舒服。 / 이 의자 , 디자인은 공들여져 있지만 , 앉기에는 그다지 편하지 않군요 .

凝る（こる） ① be absorbed in, be devoted to ② elaborate / 讲究、精致、下功夫 / 공들이다

◆ゴルフに**凝っている**　◆**凝った**デザインのバッグ

＊肩がこる　have stiff shoulders / 肩膀酸痛 / 어깨가 결리다

反る（そる） warp, curve, bend / 卷曲、弯曲、翘起来 / 젖혀지다 . 뒤집히다

◆板が**反る**　＊反らす

ぶんぽう

78 **1** 何かに**つけ**、近所の人にはお世話になっている。

We rely on our neighbors whenever we need help.
有点什么事就会给邻居们添麻烦。 / 여러모로 이웃에게 신세를 지고 있다 .

何かにつけ（て）　whenever ~ / 有点什么事 / 기회가 있을 때마다

aやらbやら　（＝ a、b、ほかにもいろいろ）

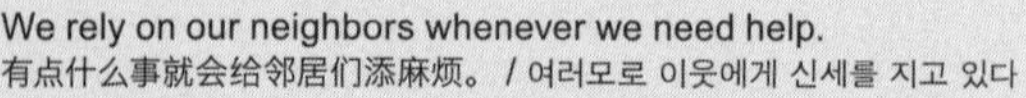

◆くしゃみが出る**やら**、のどが痛い**やら**今日は体調が悪い。

◆この子のポケットには虫**やら**ガム**やら**いろんなものが入っている。

～にせよ　even if ~ / 即使 ~、就算是 ~ / ~ (한다) 해도 (＝ ～にしろ)

79 犬が人の命をすくったという記事を読んだ。

1 助った
2 救った
3 探った
4 触った

27 □□□

もじ

80 彼女とは年賀状の＿＿＿＿だけで、もう何年も会っていない。

1 あげもらい
2 行き帰り
3 受け取り
4 やり取り

27 □□□

ごい

81 合格できたのは、日々の努力の結果に＿＿＿＿。

1 しかない
2 かかわりない
3 かぎらない
4 ほかならない

27 □□□

ぶんぽう

もじ

79 **2** 犬(いぬ)が人(ひと)の命(いのち)を**救(すく)った**という記事(きじ)を読(よ)んだ。

I read an article about a dog that saved a person.
读了狗救人性命的报道。 / 개가 사람의 생명을 구했다는 기사를 읽었다 .

[命] **メイ**：生命(せいめい)・命令(めいれい)　**ミョウ**：寿命(じゅみょう)
いのち：命(いのち)

[救] **キュウ**：救助(きゅうじょ)する
すく（-う）：救(すく)う

[探] **さが**（-す）：探(さが)す　**さぐ**（-る）：探(さぐ)る

[触] **さわ**（-る）：触(さわ)る　**ふ**（-れる）：触(ふ)れる

ごい

80 **4** 彼女(かのじょ)とは年賀状(ねんがじょう)の**やり取(と)り**だけで、もう何年(なんねん)も会(あ)っていない。

I have only been exchanging New Year's greeting cards with her; we have not actually met in many years.
我和她只是互相寄寄明信片，已经很多年没见面了。
그녀는 연하장을 주고받기만 하고 , 몇 년 동안도 만나지 않았다 .

[**やり取り**]（やりとり） exchange, giving and taking / 互相交换 / 주고받음
◆メールの**やり取(と)り**

[**行き帰り**]（い / ゆきかえり） going and returning / 往返、来往 / 왕복
◆**行(い)き帰(かえ)り**の電車(でんしゃ)の中(なか)で勉強(べんきょう)する。

[**受け取り**]（うけとり） receipt, acceptance / 领取、接受 / 수신　◆荷物(にもつ)の**受(う)け取(と)り**

ぶんぽう

81 **4** 合格(ごうかく)できたのは、日々(ひび)の努力(どりょく)の結果(けっか)に**ほかならない**。

Only because of my hard work was I able to pass the exam.
能合格无非是每天努力的结果。 / 합격할 수 있었던 것은 매일매일 노력의 결과임이 틀림없다 .

[**Nにほかならない**]　（＝N 以外(いがい)のものではない）

＊強調(きょうちょう) emphasis / 强调 / 강조

◆子供(こども)に厳(きび)しくするのは親(おや)の愛情(あいじょう)**にほかならない**。

◆彼(かれ)のしたことは詐欺(さぎ)**にほかならない**。

82 郊外の<u>景色</u>のいい住宅地で暮らしたい。

1　けいろ
2　けいしき
3　けしき
4　けしょく

28 □□□

83 同僚(どうりょう)が＿＿＿＿＿されてしまった。

1　ストレス
2　アレルギー
3　リストラ
4　トラブル

28 □□□

84 赤＿＿＿＿＿黄＿＿＿＿＿、いろんな色の花が咲いている。

1　なり／なり
2　やら／やら
3　にせよ／にせよ
4　にしろ／にしろ

28 □□□

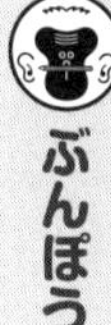

こたえ

もじ

82 **3** 郊外の**景色**のいい住宅地で暮らしたい。

I would like to live somewhere in the country with a nice view.
想在郊外景色优美的地方生活。 / 교외의 경치가 좋은 주택지에서 살고 싶다 .

郊 **コウ**：郊外

景 **ケイ**：風景・景気　＊景色

暮 **ボ**：歳暮

く (-れる / -らす)：暮れる・暮らす・暮らし

ごい

83 **3** 同僚が**リストラ**されてしまった。

My coworker was let go due to company downsizing.
同事被裁员了。 / 동료가 정리 해고 당했다 .

リストラ	restructuring, downsizing / 裁员、下岗 / 정리해고	◆**リストラ**にあう
ストレス	stress / 压力、紧张状态 / 스트레스	◆**ストレス**を解消する
アレルギー	allergy / 过敏 / 알레르기	
トラブル	trouble / 纠纷 / 트러블	

ぶんぽう

84 **2** 赤**やら**黄**やら**、いろんな色の花が咲いている。

There are many flowers blooming, including red and yellow ones.
红的啦黄的啦 , 开放着各色的花朵。 / 빨강이며 노랑이며 , 여러 가지 색의 꽃이 피어있다 .

aやらbやら such as A and B, A and B and so on / a啦b啦 / a 며 b 며

（＝a，b、ほかにもいろいろ）

N_1なりN_2なり **V_1なりV_2なり** ~ or ~ / 或是 N_1 或是 N_2 / N_1 이든지 N_2 든지 V_1 이든지 V_2 든지

◆お昼はパン**なり**おにぎり**なり**買って食べます。

◆本は買う**なり**借りる**なり**して必ず持ってきてください。

85 この地方は温泉もあり、豊かな自然に<u>めぐまれた</u>所です。

1　恵まれた
2　治まれた
3　囲まれた
4　営まれた

29 □□□

86 結婚していないというだけで、＿＿＿＿＿思いをすることがある。

1　みじめな
2　あわれな
3　むじゃきな
4　なまいきな

29 □□□

87 そこを＿＿＿＿＿ばかりに、事故に巻き込まれた。

1　通り
2　通った
3　通ろう
4　通って

29 □□□

85 **1** この地方は温泉もあり、豊かな自然に**恵まれた**所です。

This area is endowed with hot springs and beautiful natural surroundings.
这里还有温泉，是拥有丰富自然资源的地方。
이 지방은 온천도 있고, 풍부한 자연에 둘러싸인 곳입니다.

泉 **セン**：温泉　**いずみ**：泉

豊 **ホウ**：豊富な　**ゆた (-か)**：豊かな

恵 **エ**：知恵　**ケイ**：恩恵

めぐ (-む)：恵まれる

営 **エイ**：営業・営業中・経営する

いとな (-む)：営む

86 **1** 結婚していないというだけで、**惨めな**思いをすることがある。

Sometimes I feel miserable just because I am not married.
因为没有结婚，所以有时会觉得凄凉。/ 결혼하지 않았다는 것만으로, 참담한 생각이 들 때가 있다.

惨めな（みじめな） miserable, wretched / 凄惨、凄凉 / 참담하다　◆**惨めな**生活

哀れな（あわれな） pity, grief / 可怜、寒碜、哀伤 / 가엾다　◆**哀れな**人々

無邪気な（むじゃきな） innocent / 天真无邪、单纯 / 순진하다　◆**無邪気な**子供

生意気な（なまいきな） flippant, impudent, insolent / 自大、傲慢 / 건방짐　◆**生意気な**学生

87 **2** そこを**通った**ばかりに、事故に巻き込まれた。　OK 通ったために

I got into an accident just because I happened to take that route.
正因为从这里过了，才被卷入事故中。 / 그곳을 지나간 바람에, 사고에 휘말렸다.

～ばかりに

＊それだけの理由で悪いことが起こる

Even things like that can bring bad luck / 正因为这样的理由而发生不好的事情 / 그 뿐의 이유만으로 나쁜 일이 일어남

◆言葉がわからない**ばかりに**誤解された。

◆親が有名人である**ばかりに**、いつも注目される。

88 警察は<u>盗まれた</u>絵画と犯人を捜している。

1　ねすまれた
2　ぬすまれた
3　なすまれた
4　にすまれた

30 □□□

89 試験が近いので家に＿＿＿＿＿勉強しないと。

1　こめて
2　こもって
3　くっついて
4　たまって

30 □□□

90 彼女は、親の愛情＿＿＿＿＿幸せに育った。

1　をこめて
2　のもとで
3　をとわず
4　のたびに

30 □□□

もじ

88 **2** 警察は**盗まれた**絵画と犯人を捜している。

The police are searching for the stolen painting and the thief.
警察正在搜寻被盗的名画和作案犯人。 / 경찰은 도난당한 그림과 범인을 찾고 있다.

盗 **トウ**：強盗・盗難
ぬす (-む)：盗む

犯 **ハン**：犯人・犯罪・防犯
おか (-す)：犯す

捜 **さが** (-す)：捜す
ソウ：捜査

ごい

89 **2** 試験が近いので家に**こもって**勉強しないと。

I have a test coming up, so I need to lock myself in my house and study.
考试临近，不把自己关在家里学习不行。 / 시험이 가까워 집에 틀어박혀 공부하지 않으면 안돼.

こもる seclude oneself, be confined in / 闭门不出、闷着 / 틀어박히다

◆自分の部屋に**こもって**音楽を聴く。

◆熱が**こもる** with enthusiasm / 热气腾腾、满是热气 / 열띠다

＊引きこもる stay indoors, be confined indoors / 闭门不出、隐居 / 틀어박히다

◆家に引き**こもって**社会生活をしない人のことを「引きこもり」と言う。

90 **2** 彼女は、親の愛情**のもとで**幸せに育った。

She was raised happily by very loving parents.
她在父母的关爱下幸福地长大了。 / 그녀는 부모의 애정 밑에서 행복하게 자랐습니다.

Nのもとで under N / 在 N 之下 / N 하에서

◆この建物は、厳しい条件**のもとで**建てられた。

Nをこめて with N / 倾注 N、集中 N / N 을 담아

＊ N ＝愛、気持ち、心、祈り、願い、思い、恨みなど

◆親が愛情**をこめて**子を育てる。

91 彼は違反を<u>認めた</u>。→ 25

1　まとめた　　　2　みとめた

もじ

1 □□□

92 この魚は<u>ほね</u>まで食べられる。→ 10

1　骨　　　2　背

93 A「あれ、このコップ、＿＿＿＿？」
B「本当だ。ひびが入っているよ。」→ 47

1　もらしてない　　　2　もれてない

ごい

94 ＿＿＿＿妻にがまんができない。もう離婚したい。→ 5

1　だらしない　　　2　あやしい

95 勉強せずに試験に＿＿＿＿。→ 39

1　受けっこない　　　2　受かりっこない

ぶんぽう

1 □□□

96 ＿＿＿＿ことに、その建物は一夜で完成した。→ 48

1　おどろいた　　　2　おどろいたという

もじ

97 日記を書いて、一日の<u>反省</u>をする。→ 70

1　はんしょう　　2　はんせい

3 □□□

98 <u>かんでんち</u>が切れた。→ 64

1　乾電池　　2　換電池

4 □□□

ごい

99 この問題は時間が解決してくれると思うから、しばらく________おこう。→ 53

1　まかせて　　2　ほうって

3 □□□

100 彼は、高校卒業後、親に________大学に行き、ちゃんと卒業した。→ 20

1　もたれず　　2　たよらず

4 □□□

ぶんぽう

101 この牛肉、やわらかいし、すごくおいしい。________ね。→ 21

1　高くてたまらない　　2　高いだけのことはある

3 □□□

102 あいつには絶対負ける________。→ 39

1　っこない　　2　もんか

4 □□□

前のページの答え　91 2　92 1　93 2　94 1　95 2　96 1

103 日本の暮らしにも慣れた。→ 62

1 くらし　　2 こらし

5 □□□

104 月は地球のまわりを回っている。→ 67

1 囲り　　2 周り

6 □□□

105 うちの店の＿＿＿＿は、化学調味料を使わないことです。→ 56

1 やりがい　　2 こだわり

5 □□□

106 あ、ゴキブリだ！　お父さん、早く＿＿＿＿。→ 53

1 はがして　　2 やっつけて

6 □□□

107 皆さんの期待に＿＿＿＿がんばります。→ 69

1 こたえて　　2 にもとづいて

5 □□□

108 年を取る＿＿＿＿、記憶力が衰える。→ 30

1 につれて　　2 にそって

6 □□□

前のページの答え　97 2　98 1　99 2　100 2　101 2　102 2

もんだい

もじ

109 今日は<u>蒸し暑い</u>。→ 64

1　もしあつい　　　2　むしあつい

7 □□□

110 人命を<u>きゅうじょ</u>する。→ 79

1　救助　　　2　救急

8 □□□

ごい

111 仕事をクビになり、貯金も＿＿＿＿。もうどうしていいかわからない。→ 68

1　使いはたした　　　2　使いこなした

7 □□□

112 せっかく合格して入学した大学を辞めるなんて、＿＿＿＿ものも言えない。→ 17

1　あきれて　　　2　あわてて

8 □□□

ぶんぽう

113 図書館を利用する＿＿＿＿、この規則を読んでください。→ 24

1　にともない　　　2　にあたり

7 □□□

114 さくら小学校＿＿＿＿運動会が行われた。→ 36

1　において　　　2　のもとで

8 □□□

前のページの答え　103 1　104 2　105 2　106 2　107 1　108 1

115 恐怖で声も出なかった。→ 73

1 きゅうふ　　2 きょうふ

9 □□□

116 しょうちしました。→ 13

1 了承　　2 承知

10 □□□

もじ

117 ＿＿＿＿がんばっている子供の姿を見ると、胸が熱くなる。→ 86

1 あわれに　　2 むじゃきに

9 □□□

118 彼は＿＿＿＿勉強もしないくせに、テストではいつもいい点を取っている。→ 35

1 ろくに　　2 らくに

10 □□□

ごい

119 あれは論文ではなく、ただの感想文＿＿＿＿。→ 45

1 にすぎない　　2 にかぎる

9 □□□

120 財布を落とす＿＿＿＿、傘(かさ)を忘れる＿＿＿＿失敗ばかりだ。→ 78

1 にせよ／にせよ　　2 やら／やら

10 □□□

ぶんぽう

前のページの答え 109 2 110 1 111 1 112 1 113 2 114 1

もじ

121 <u>貧しい</u>国を助けるために協力する。→ 4

1　とぼしい　　　2　まずしい

11 □□□

122 最近のネコはネズミを<u>とらない</u>。→ 37

1　逃らない　　　2　捕らない

12 □□□

ごい

123 ＿＿＿＿をためないで、解消する方法をみつけよう。→ 83

1　アレルギー　　　2　ストレス

124 医者に体を＿＿＿＿ような動作はしないようにと言われている。→ 77

1　そらす　　　2　こる

ぶんぽう

125 体が大きい＿＿＿＿不便なことが多い。→ 87

1　ばかりに　　　2　にもかかわらず

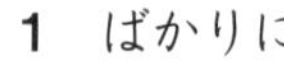

前のページの答え 115 2  116 2  117 2  118 1  119 1 120 2

第2週（だいしゅう）

Week 2 / 第 2 周 / 제 2 주

- ６日目まで終わったら、正解の数を数えて記入しましょう。
- 正解の少ない分野があったら、もう一度やってから７日目に進みましょう。
- ７日目は復習です。終わったら正解の数を記入して、学習の効果を確認しましょう。

- At the end of the first six days, count the number of questions that were correct.
- If there is a section where you got only a few questions correct, please do it over before moving on to the seventh day.
- The seventh day is for reviewing. When you are finished, fill in the number of the correct answers to see how you have improved.

- 学到第 6 天时，将回答正确的题数记录下来。
- 正确率较低的部分，重新再做一遍以后再学习第 7 天的内容。
- 第 7 天为复习。做完后将回答正确的题数记录下来，确认学习效果。

- 6 일째까지 마친 후 정답 수를 세어 기록합시다.
- 정답 수가 적은 분야가 있으면 다시 한 번 한 후에 7 일째를 합시다.
- 7 일째는 복습입니다. 다 마친 후 정답 수를 적고, 학습 효과를 확인합시다.

もじ

	１～６日目	７日目（ふくしゅう）
1回目	／30 問	／12 問
2回目	／30 問	／12 問
3回目	／30 問	／12 問

ごい

	１～６日目	７日目（ふくしゅう）
1回目	／30 問	／12 問
2回目	／30 問	／12 問
3回目	／30 問	／12 問

ぶんぽう

	１～６日目	７日目（ふくしゅう）
1回目	／30 問	／11 問
2回目	／30 問	／11 問
3回目	／30 問	／11 問

前のページの答え　121 2　122 2　123 2　124 1　125 1

もじ

＿＿＿＿ のことばをひらがなは漢字(かんじ)に、漢字(かんじ)はひらがなに直(なお)して、正(ただ)しいものを選択肢(せんたくし)から選(えら)びなさい。

Choose the correct word from the multiple options after converting the underlined *kanji* word into *hiragana* or the *hiragana* word into *kanji*.

将 ＿＿＿＿ 部分的假名变成汉字, 汉字变成假名, 从选项中选择正确的。

＿＿＿＿ 의 말을 히라가나는 한자로, 한자는 히라가나로 고쳐, 바른것을 선다형에서 고르시오.

ごい

＿＿＿＿ のところに何(なに)を入(い)れたらよいか。いちばん適当(てきとう)なものを選択肢(せんたくし)から一(ひと)つ選(えら)びなさい。

What is the right word to fit in the underlined space? Choose one correct word out of the multiple options.

＿＿＿＿ 中应该填入什么? 从选项中选择最恰当的。

＿＿＿＿ 에 무엇을 넣으면 좋은지. 가장 적당한 것을 선다형에서 하나 고르시오.

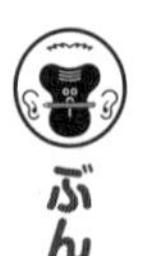

ぶんぽう

＿＿＿＿ のところに何(なに)を入(い)れたらよいか。いちばん適当(てきとう)なものを選択肢(せんたくし)から一(ひと)つ選(えら)びなさい。

What is the right word to fit in the underlined space? Choose one correct word out of the multiple options.

＿＿＿＿ 中应该填入什么? 从选项中选择最恰当的。

＿＿＿＿ 에 무엇을 넣으면 좋은지. 가장 적당한 것을 선다형에서 하나 고르시오.

126 地震による<u>被害</u>の状況が伝えられた。

1 きがい
2 ひがい
3 へいがい
4 さいがい

もじ

1□□□

127 A「今度の日曜日、デパートに付き合ってよね。」
B「混んでいるから、＿＿＿＿けれど仕方ないね。」

1 気がしない
2 気があわない
3 気がきかない
4 気が進まない

ごい

1□□□

128 この店の料理は、量が少ないから女性＿＿＿＿だ。

1 むき
2 むけ
3 ぎみ
4 だらけ

ぶんぽう

1□□□

こたえ

126 **2** 地震による**被害**の状況が伝えられた。

The extent of the damage caused by the earthquake was conveyed.
传来了地震导致的受灾情况。 / 지진으로 인한 피해 상황이 전해졌다.

もじ

被 ヒ：被害

害 ガイ：被害・公害・損害・危害・弊害

況 キョウ：状況・実況・近況

127 **4** A「今度の日曜日、デパートに付き合ってよね。」

B「混んでいるから、**気が進まない**けれど仕方ないね。」

A: "Come with me to the department store this weekend." B: "I do not really want to since it will be crowded, but I guess I do not have a choice." / A：“这个星期天，陪我去百货店吧。” B：“人太多了，不是很想去但是也没办法。” / A「이번 일요일, 백화점에 같이 가요.」B「혼잡 때문에 내키지 않지만 어쩔 수 없지.」

ごい

気が進まない (きがすすまない) unwilling, not be inclined to (do some thing) / 不积极、不起劲 / 마음이 무겁다 (=気が重い)

気がしない (きがしない) not be in a mood / feeling, not have a feeling (that some thing is going to occur) / 没感觉、不感到 / 의욕이 나지 않는다

気が利かない (きがきかない) not be thoughtful, not be sensible / 不灵活、不机灵 / 자잘한 데까지 생각이 미치지 않는다 ◆**気が利かない**人

128 **1** この店の料理は、量が少ないから女性**向き**だ。

This restaurant is good for women because the portions are small.

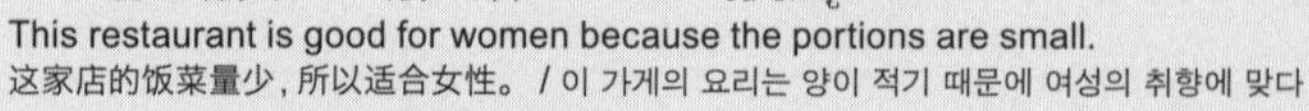

这家店的饭菜量少，所以适合女性。 / 이 가게의 요리는 양이 적기 때문에 여성의 취향에 맞다.

ぶんぽう

N向き (=Nに合っている)

◆このカレーは辛くないから子供**向き**だ。

N向け ＊N=対象 object / 对象 / 대상

◆このテレビ番組は子供**向け**に制作された。

Nだらけ (=Nがたくさんある) ◆このレポートは間違い**だらけ**だ。

129 1分は60<u>びょう</u>です。

1　億
2　秒
3　表
4　兆

2 □□□

130 新しいクリームにしてから、肌の＿＿＿＿＿がよくなった気がする。高かったけど、買ってよかった。

1　しみ
2　しわ
3　つや
4　ほくろ

2 □□□

131 このバッグは色もきれい＿＿＿＿＿、形もいい。

1　し
2　とか
3　なら
4　やら

2 □□□

もじ

129 **2** 1分(ぷん)は60**秒**(びょう)です。

A minute is 60 seconds. / 1分钟是60秒。 / 1분은 60 초입니다.

秒 **ビョウ**：秒(びょう)

億 **オク**：一億(いちおく)

表 **ヒョウ**：表(ひょう)・発表(はっぴょう)する

おもて：表(おもて)　**あらわ**（-す）：表(あらわ)す

兆 **チョウ**：一兆(いっちょう)

ごい

130 **3** 新(あたら)しいクリームにしてから、肌(はだ)の**つや**がよくなった気(き)がする。高(たか)かったけど、買(か)ってよかった。

Since switching to a new cream, I feel like the luster of my skin has go improved. It was expensive, but I am glad I bought it. / 用了新的乳液以后，感觉皮肤的光泽好起来了。虽然有点贵，但是还好买了。 / 새로운 크림을 사용한 후에, 피부의 윤기가 좋아진 것 같다. 값은 비쌌지만 잘 샀다.

つや　① luster ② color ③ youthfulness / 光泽 / 광택　◆**つやのある紙(かみ)**

染み（しみ）　spot, blemish / 斑点、染色、污渍 / 얼룩, 검버섯

◆**服(ふく)に染(し)みがついた**　◆**顔(かお)の染(し)み**

しわ　wrinkle / 皱纹、褶子 / 주름　◆**服(ふく)のしわ**　◆**顔(かお)のしわ**

ほくろ　mole / 痣、黑痣 / 점, 사마귀

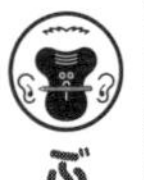

ぶんぽう

131 **3** このバッグは色(いろ)もきれい**なら**、形(かたち)もいい。　**OK** きれいだし

The bag has a nice shape as well as nice color.
这个包颜色又漂亮，款式也好。 / 이 가방은 색도 예쁘거니와 모양도 좋다.

N_1も～ばN_2も～　**N_1も～ならN_2も～**

if N_1, then also N_2, N_2 as well as N_1 / N_1 也 ~N_2 也 ~ / N_1 도 ~ 하거니와 N_2 도

◆あまりのショックに、<u>涙(なみだ)も出(で)なければ声(こえ)も出(で)なかった</u>。

◆彼女(かのじょ)は<u>料理(りょうり)も上手(じょうず)なら洋服(ようふく)も作(つく)れる</u>。

132 浴衣には簡単な<u>帯</u>をします。足袋は普通、はきません。

1 たび
2 ひも
3 げた
4 おび

3 □□□

133 薬を飲まないようにしていたが、どうしても痛みを＿＿＿＿、痛み止めの薬を飲んだ。

1 こらえられず
2 がまんせず
3 たえられず
4 おさえず

3 □□□

134 彼は服が汚れるのも＿＿＿＿、犬を抱きしめた。

1 とわず
2 かまわず
3 かかわらず
4 かぎらず

3 □□□

こたえ

もじ

132 **4** 浴衣には簡単な**帯**をします。足袋は普通、はきません。

A simple obi is worn with yukata. Usually, no socks are worn.
浴衣要系简单的带子，一般不穿袜子。
유카타는 간단한 오비 (띠) 를 맵니다 . 보통 다비 (버선) 는 신지 않습니다 .

衣 イ：衣服・衣食住　＊浴衣
帯 タイ：熱帯・温帯・携帯電話
　おび：帯
袋 ふくろ：袋・手袋　＊足袋

ごい

133 **1** 薬を飲まないようにしていたが、どうしても痛みを**こらえられず**、痛み止めの薬を飲んだ。　**OK** 痛みに耐えられず

I was trying not to take any medicine, but I just could not take the pain, so I took a painkiller.
虽然尽量不吃药，但怎么都止不了疼，还是吃了止疼片。
약을 먹지 않으려고 했지만 , 아무래도 통증을 참지 못해 , 진통제를 먹었다 .

こらえる bear, endure / 忍住、控制住 / 참다（＝がまんする＝耐える）
耐える（たえる）bear, endure / 承受、忍耐 / 견디다　◆寒さに**耐える**
抑える（おさえる）suppress, hold down, hold back / 压、按、抑制 / 억제하다
◆気持ちを**抑える**

ぶんぽう

134 **2** 彼は服が汚れるのも**かまわず**、犬を抱きしめた。

He hugged the dog without worrying about his clothes getting dirty.
他也不怕衣服会被弄脏，紧紧地抱住了狗。/ 그는 옷이 더러워지는 것도 개의치 않고 개를 안았다.

Nもかまわず　（＝Nを気にしないで）

◆彼女は人目**もかまわず**泣いた。
◆博士は人に笑われるの**もかまわず**、自分の研究を続けた。

135 このシャツはめん100%です。

1　面
2　綿
3　革
4　舟

4□□□

136 親の言うことに＿＿＿＿、長男は家を出て行ってしまった。

1　せめて
2　もめて
3　ぶつかって
4　さからって

4□□□

137 あんなまずいもの、二度と＿＿＿＿ものか。

1　買い
2　買った
3　買う
4　買わない

4□□□

135 **2** このシャツは綿(めん)100%です。

This shirt is 100 percent cotton.
这衬衣是 100% 纯棉的。 / 이 셔츠는 면 100% 입니다 .

もじ

綿 メン：綿(めん)・木綿(もめん)
わた：綿(わた)
面 メン：画面(がめん)・表面(ひょうめん)・方面(ほうめん)　＊真面目(まじめ)
革 かわ：革(かわ)
舟 ふね：舟(ふね)

136 **4** 親(おや)の言(い)うことに**逆(さか)らって**、長男(ちょうなん)は家(いえ)を出(で)て行(い)ってしまった。

The oldest son disobeyed his parents and left the house.
抗拒父母所说的话，长子离家出走了。 / 부모의 말을 거역하고 , 장남은 집을 나와 버렸다 .

ごい

逆らう (さからう) go against, disobey / 违背、逆反、抗拒 / 반항하다⇔従(したが)う
責める (せめる) condemn, criticize / 责备、指责 / 비난하다
◆あなたを**責(せ)める**つもりはない。
＊攻(せ)める　attack, assault / 攻打、进攻 / 공격하다　◆城(しろ)を**攻(せ)める**
もめる disagree, fight (over) / 纠纷、纷争 / 옥신각신하다　◆友達(ともだち)と**もめる**
ぶつかる ① strike against, collide with ② encounter, meet / 冲突、冲撞、碰上 / 부딪히다

137 **3** あんなまずいもの、二度(にど)と**買(か)う**ものか。

I will never buy anything that tastes that awful again.
那么难吃的东西，怎么会买第二次呢。 / 저렇게 맛없는 것 , 두 번 다시 사지 않겠다 .

ぶんぽう

～ものか　**～もんか**　**～ものですか**　**～もんですか**
＊強(つよ)い否定(ひてい)　strong denial / 强烈的否定 / 강한 부정
◆簡単(かんたん)な**もんですか**。とても難(むずか)しかったですよ。
◆病気(びょうき)な**もんか**。彼(かれ)は元気(げんき)に遊(あそ)んでいたよ。

もじ

138 パート<u>募集</u>。やる気のある方を求む。勤務時間は相談に応じます。

1　もしゅう
2　ぶしゅう
3　ぼしゅう
4　むしゅう

5 □□□

ごい

139 第二次世界大戦直後、日本は激(はげ)しい________になった。

1　インフレ

2　ダウン
3　フォーム
4　ショック

5 □□□

ぶんぽう

140 出席________ものならしたいが、どうしても都合がつかない。

1　する
2　できる
3　した
4　しよう

5 □□□

もじ

138 **3** パート**募集**。やる気のある方を求む。勤務時間は相談に応じます。

Part-time help wanted. Enthusiastic workers welcome. Work hours are flexible.
招聘零工。希望要有干劲。工作时间可以商量。
시간제 근무자 모집 . 의욕적인 분을 희망합니다 . 근무 시간은 상담에 응합니다 .

募 **ボ**：募集する・応募する

務 **ム**：勤務する・事務所・義務

つと（-める）：務める

応 **オウ**：応じる・応用する

ごい

139 **1** 第二次世界大戦直後、日本は激しい**インフレ**になった。

Just after the Second World War, Japan faced severe inflation.
第二次世界大战后，日本通货膨胀严重。
제 2 차 세계대전 직후 일본은 심한 인플레이션이 되었다 .

インフレ inflation / 通货膨胀 / 인플레 ⇔デフレ

ダウン down / 下降 / 다운 ⇔アップ

フォーム form / 形式、样式 / 폼

ショック shock / 冲击、打击 / 쇼크

◆**ショックを受ける**

ぶんぽう

140 **2** 出席**できる**ものならしたいが、どうしても都合がつかない。

I would attend if I could, but I cannot.
如果能参加的话真想参加，可无论如何也抽不出时间。
출석할 수 있다면야 하고 싶지만 , 아무리 해도 형편이 되지 않는다 .

Vれるものなら （＝Vできないと思うが、もし、できるなら）

◆**やり直せるものなら**、やり直したい。

～ものだから （＝～ので）

◆あの人は自分が暇な**ものだから**、毎日電話してくる。

141 その警官は、人々から頼られる、勇気のある男性でした。

1　ゆうき
2　ようき
3　にんき
4　こんき

もじ

6□□□

142 その上司は仕事もできないのに、＿＿＿＿ばかりいるので部下から嫌われている。

1　だまって
2　うらぎって
3　さけて
4　いばって

ごい

6□□□

143 状況を説明したいのだが、電話では説明＿＿＿＿。

1　ほかない
2　わけがない
3　しかない
4　しようがない

6□□□

こたえ

もじ

141 **1** その警官（けいかん）は、人々（ひとびと）から頼（たよ）られる、**<u>勇気（ゆうき）</u>**のある男性（だんせい）でした。

The policeman was a brave man who people depended on.
那位警官是受大家信赖的有勇气的男人。
그 경찰관은 사람들로부터 믿음을 얻고 있는 , 용기가 있는 남자였습니다 .

[官] **カン**：警官（けいかん）・官庁（かんちょう）

[頼] **ライ**：信頼（しんらい）する

たよ（-る）：頼（たよ）る　**たの**（-む / -もしい）：頼（たの）む・頼（たの）もしい

[勇] **ユウ**：勇気（ゆうき）

いさ（-ましい）：勇（いさ）ましい

ごい

142 **4** その上司（じょうし）は仕事（しごと）もできないのに、**<u>威張（いば）って</u>**ばかりいるので部下（ぶか）から嫌（きら）われている。

That superior is hated by his subordinates because he acts important even though he cannot even do his job right.
那个上司明明不会工作，还耀武扬威，部下都讨厌他。
그 상사는 일도 못 하면서 뽐내고만 있어서 때문에 부하로부터 미움 받고 있다 .

威張る（いばる） put on airs, act big / 逞威风、耀武扬威 / 잘난체하다

黙る（だまる） be silent / 沉默、不做声 / 입을 다물다

裏切る（うらぎる） betray / 背叛、辜负 / 배신하다

避ける（さける） avoid / 逃避、避开 / 피하다　◆危険（きけん）を**避（さ）ける**

ぶんぽう

143 **4** 状況（じょうきょう）を説明（せつめい）したいのだが、電話（でんわ）では説明（せつめい）**<u>しようがない</u>**。

It is not possible to describe the situation over the phone.
想说明情况 , 可在电话中没法说明。 / 상황을 설명하고 싶지만 , 전화로는 설명할 도리가 없다 .

Vようがない **Vようもない**　＊ V~~ます~~ようが / も（＝Vする方法（ほうほう）がない）

◆手（て）がかりがないので<u>調（しら）べ**ようがない**</u>。

◆この景色（けしき）は<u>たとえ**ようがない**</u>ほど美（うつく）しい。

144 乗車<u>けん</u>を拝見します。

1　巻
2　符
3　状
4　券

7 □□□

145 A「ジョンがまたゴミ箱をひっくり返してるよ。」
B「えーっ、今朝、＿＿＿＿＿きれいに掃除したのに。」

1　せっかく
2　さらに
3　さっそく
4　やがて

7 □□□

146 先生に読むように言われた本は、＿＿＿＿＿ものの、まだ読んでいない。

1　借りる
2　借りない
3　借りた
4　借りよう

7 □□□

もじ

144 **4** 乗車券を拝見します。

(May I see) your ticket, please? / 我看看您的车票。 / 승차권을 보겠습니다 .

- 券 **ケン**：券・乗車券・定期券・特急券
- 拝 **ハイ**：拝見する
  おが (-む)：拝む
- 巻 **カン**：～巻
  ま (-く)：巻く
- 符 **フ**：切符・符号

ごい

145 **1** A「ジョンがまたゴミ箱をひっくり返してるよ。」

B「えーっ、今朝、**せっかく**きれいに掃除したのに。」

A: "John knocked over the trash can again." B: "Aww, and I just cleaned it up this morning." / A："约翰又把垃圾桶弄翻了。" B："诶? 今天早上好容易才打扫干净的。" / A「존이 또 휴지통을 넘어뜨리고 있네요 .」B「이런 , 오늘 아침 애써 깨끗하게 청소했는데 .」

せっかく	at great pains, with great trouble / 特意、煞费苦心、好不容易 / 애써서
さらに	again, furthermore / 更、更进一步、并且 / 더욱
早速	(さっそく) at once, immediately / 立即、马上 / 즉시
やがて	① before long, soon ② almost, nearly ③ finally, in the end 不久、马上、几乎 / 이윽고

146 **3** 先生に読むように言われた本は、**借りた**ものの、まだ読んでいない。

Although I borrowed the book my teacher told me to read, I have not read it yet.
老师让读的那本书虽然借到了，可还没有看。
선생님이 , 읽으라고 말한 책은 빌렸지만 , 아직 읽지 않는다 .

～ものの (＝～けれど)

- いつも本は買う**ものの**、ほとんど読まない。
- 本はめったに買わない**ものの**、図書館で借りてよく読む。
- この街は便利な**ものの**、物価が高い。

147 労働条件を<u>改善</u>する。

1　かいぜん
2　かいざん
3　かいせん
4　かいさん

もじ

148 彼女は自分の収入に＿＿＿＿生活をしなかったので、借金だらけになった。

1　つりあった
2　ちかづいた
3　そろえた
4　よせた

ごい

149 もう1時を過ぎたが、昼御飯＿＿＿＿、朝も食べていない。

1　ところが
2　のところ
3　どころか
4　のところで

ぶんぽう

8 □□□

こたえ

147 **1** 労働条件を**改善**する。

We are going to improve working conditions.
改善劳动条件。 / 노동 조건을 개선한다 .

もじ

- 労 **ロウ**：労働・苦労
- 条 **ジョウ**：条件・条約
- 善 **ゼン**：善・改善する

148 **1** 彼女は自分の収入に**釣り合った**生活をしなかったので、借金だらけになった。

She has a lot of debt because she did not live within her means.
她过着与她收入水平不相称的生活，所以借了一屁股债。
그녀는 자신의 수입에 어울리는 생활을 하지 않았기 때문에 , 빚투성이가 되었다 .

ごい

釣り合う (つりあう) be in balance, go well together / 相称、均衡、协调 / 어울리다

そろえる put together, collect, gather / 齐备、凑齐 / 가지런히 하다

◆スリッパを**そろえる**

寄せる (よせる) bring near, bring together / 聚集、收集、召集 / 가까이 대다

◆椅子を壁に**寄せる**

149 **3** もう１時を過ぎたが、昼御飯**どころか**、朝も食べていない。

It is already past 1:00 and I have not yet had breakfast, let alone lunch.
都过了 1 点了, 可别说午饭了, 连早饭都还没吃。
벌써 1 시가 지났지만 , 점심밥 커녕 아침도 먹지 않았다 .

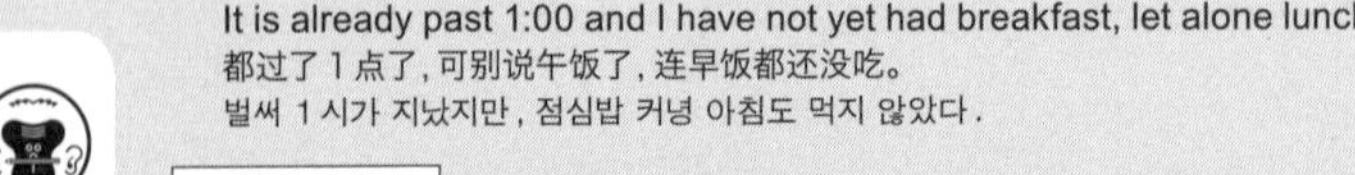

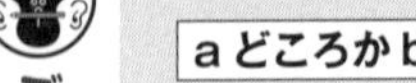

ぶんぽう

a どころか b b, let alone a / 别说 a, 连 b / a 는 커녕 b

◆冬なのに寒い**どころか**暑いくらいだ。

~どころではない do / can not even think about ~ 〈the situation does not allow you to do ~〉 / 顾不上 ~、不是 ~ 的时候 / ~ 경황은 아니다

◆仕事**どころではありません**。すぐに入院してください。

150 今日はもやせるゴミの日です。

1　鉱やせる
2　燥やせる
3　燃やせる
4　灰やせる

もじ

9 □□□

151 私は、だれにでも抱(だ)っこされる＿＿＿＿＿赤ちゃんだったらしい。

1　甘やかされた
2　人なつっこい
3　ほがらかな
4　落ち着いている

ごい

9 □□□

152 12月に行われる試験＿＿＿＿＿、10月に模擬(もぎ)試験をします。

1　に先だって
2　をもとに
3　のもとで
4　にわたり

ぶんぽう

9 □□□

150 3 今日は**燃やせる**ゴミの日です。

Today is the day to put out burnable garbage.
今天是扔可燃垃圾的日子。 / 오늘은 태우는 쓰레기를 내는 날입니다.

もじ

燃 ネン：燃料
も（-える / -やす）：燃える・燃やす

鉱 コウ：鉱物・鉱山

燥 ソウ：乾燥する

灰 はい：灰・灰皿

151 2 私は、誰にでも抱っこされる**人懐っこい**赤ちゃんだったらしい。

Apparently, I was the type of friendly baby who did not mind being held by anyone.
我以前是不管谁抱我都不认生的孩子。
나는, 누구에게도 안기는 낯가림을 하지 않는 아기였다고 합니다.

ごい

人懐っこい（ひとなつっこい） sociable, friendly / 不认生、容易亲近人的 / 낯가림을 안 하다

甘やかす（あまやかす） pamper, spoil / 娇纵、溺爱、放任 / 응석받이로 키우다

◆子供を**甘やかす**な。

朗らかな（ほがらかな） bright, cheerful / 开朗、爽快、明朗 / 명랑하다

落ち着く（おちつく） calm down, settle down / 平静、心平气和 / 침착하다

◆**落ち着いた**人

152 1 12月に行われる試験**に先立って**、10月に模擬試験をします。

Prior to the examination in December, there will be a practice test in October.
在12月举行考试之前,10月进行了模拟考试。
12 월에 열리는 시험에 앞서, 10 월에 모의고사를 합니다.

ぶんぽう

Nに先立って be prior to N, come before N / N之前 / N에 앞서（＝Nの前に）

Vるに先立って prior to ~ / 于~之前 / V에 앞서

◆訓練を**行うに先立って**、関係者と打ち合わせをする。

Nをもとに（して） based on N / 以N为基础 / N을 바탕으로

◆去年の**試験問題をもとに**、模擬試験が作られた。

153 幼い子供が真似をするから、乱暴な言葉を使わないでください。

1　あやうい
2　おさない
3　あどけない
4　とうとい

10 □□□

154 先日の悩みは解決したが、＿＿＿＿問題がまた一つ増えて困っている。

1　くどい
2　やかましい
3　やっかいな
4　みっともない

10 □□□

155 駅＿＿＿＿小さい店が建ち並んでいる。

1　をめぐって
2　を中心に
3　にあたって
4　につれて

10 □□□

もじ

153 **2** 幼い子供が真似をするから、乱暴な言葉を使わないでください。
Please do not use bad language because the children might imitate you.
小孩子会模仿的，请不要使用粗俗的语言。
어린아이가 흉내를 내니까，거친 말을 사용하지 마십시오．

幼 **ヨウ**：幼児（ようじ）・幼稚な（ようち）・幼稚園（ようちえん）
おさな（-い）：幼い（おさな）

似 **に**（-る）：似る（に）　＊真似（まね）

乱 **ラン**：乱暴な（らんぼう）・混乱する（こんらん）
みだ（-れる/-す）：乱れる（みだ）・乱す（みだ）

ごい

154 **3** 先日の悩みは解決したが、**やっかいな**問題がまた一つ増えて困っている。
I solved what was bothering me the other day, but now I have another problem troubling me. / 前几天的烦恼解决了，但是又多了一个麻烦的问题很头疼。 / 전날의 고민은 해결했지만，성가신 문제가 또 하나 늘어서 난처해졌다．

やっかいな	troublesome, bothersome / 麻烦、为难 / 성가시다（＝面倒な（めんどう））
くどい	wordy, verbose / 冗长、啰嗦 / 장황하다　◆祖父（そふ）の話（はなし）はくどい。
やかましい	noisy, fussy / 吵闹、喧嚣、繁杂 / 요란스럽다（＝うるさい／そうぞうしい）
みっともない	shameful, disgraceful / 不像样、不体面 / 보기 흉하다

ぶんぽう

155 **2** 駅を中心に小さい店が建ち並んでいる。
There are small shops surrounding the station.
以车站为中心，并排建了许多小店。 / 역을 중심으로 작은 가게가 늘어서 있다．

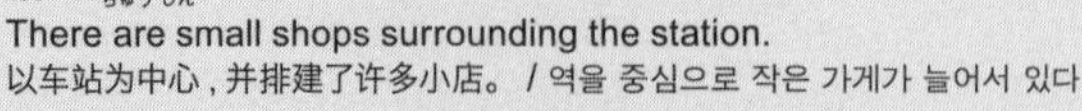

Nを中心に　mainly in / of N / 以N为中心 / N을 중심으로

◆ビル建設問題（けんせつもんだい）を中心（ちゅうしん）に会議（かいぎ）を進（すす）めた。

Nをめぐって　over N / 围绕N / N을 둘러싸고

◆ビル建設問題（けんせつもんだい）をめぐって議論（ぎろん）になった。

156 どの<u>候補者</u>に投票（とうひょう）するか、演説を聞いて決める。

1　こうぼしゃ
2　こうほうしゃ
3　こうほしゃ
4　こほしゃ

もじ

11 □□□

157 女の人がホームで＿＿＿＿いる。どうしたのかな。

1　またいで
2　しゃがんで
3　すべって
4　つまづいて

ごい

11 □□□

158 親切な彼女の＿＿＿＿、引き受けてくれるだろう。

1　ことには
2　ことから
3　ことでも
4　ことだから

ぶんぽう

11 □□□

もじ

156 **3** どの**候補者**に投票するか、演説を聞いて決める。

I am going to decide who to vote for after listening to candidates' speeches.
到底投哪个候补者的票，听了演讲后再决定。/ 어느 후보자에게 투표할까, 연설을 듣고 결정한다.

候 **コウ**：気候・天候

補 **ホ**：候補・候補者・補足する

おぎな (-う)：補う

演 **エン**：演説・演劇・演習・公演

ごい

157 **2** 女の人がホームで**しゃがんで**いる。どうしたのかな。

That woman is crouching on the train platform. I wonder what is the matter.
那个女的蹲在站台上，怎么了？ / 여자가 홈에서 웅크려 앉아있다. 무슨 일일까.

しゃがむ crouch, squat / 蹲、蹲下 / 웅크리고 앉다

またぐ step over, step across / 跨越、跨过 / 걸쳐 넘다

◆寝ている人を**またいで**はいけない。

すべる slip, glide / 滑、打滑 / 미끄러지다

つまづく trip, stumble / 绊倒、跌跤 / 발이 걸려 넘어지다

◆石に**つまづいて**転んだ。

ぶんぽう

158 **4** 親切な彼女の**ことだから**、引き受けてくれるだろう。

Because she is always kind, she will probably take care of it for you.
因为她平时那么热心，估计会答应吧。 / 친절한 그녀이니까, 맡아 줄 것이다.

Nのことだから because N is ~ / 因为是 N / N (일) 이니까

◆大げさな彼**のことだから**、病気だといっても大したことはないでしょう。

~ことから because ~ / 因为 ~ / ~ 인해

＊由来を表す showing the origin / history / 表示由来 / 유래를 나타냄

◆東京は京都に対して東にある**ことから**東の京、という名がついたそうだ。

159 部長はさっきから<u>うで</u>を組んで何か考えているようだ。

1　腰
2　腕
3　胸
4　頭

12 □□□

160 この仕事を＿＿＿＿しないと、落ち着いて食事もできない。

1　なんとも
2　なにかと
3　なにより
4　なんとか

12 □□□

161 テレビ番組での知事の発言＿＿＿＿、市民から批判の電話が鳴り続けた。

1　にもかかわらず
2　をめぐって
3　にあたって
4　をとわず

12 □□□

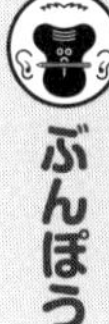

もじ

159 **2** 部長はさっきから**腕**を組んで何か考えているようだ。

My boss has had his arms crossed for a while and it looks he is thinking about something. / 部长刚才就抱着胳膊，像是在考虑什么事情。 / 부장은 아까부터 팔짱을 끼고 뭔가 생각하고 있는 것 같다.

腕 **うで**：腕

腰 **ヨウ**：腰痛

こし：腰・腰かける

胸 **むね**：胸

頭 **トウ**：頭部　**ズ**：頭痛

あたま：頭　**かしら**：頭文字

ごい

160 **4** この仕事を**なんとか**しないと、落ち着いて食事もできない。

If I do not do something about this project, I will not be able to eat in peace.
这个工作不想点办法的话，不能安心吃饭。
이 일을 어떻게 든 하지 않으면 차분히 식사도 못 한다.

何とかする do something (or other), work something out (somehow) / 设法、想办法 / 어떻게 든 하다

◆私に任せてください。**何とかしましょう**。

何とかなる workout somehow / 总会有办法 / 어떻게 든 되다

◆そのうち**何とかなる**でしょう。

ぶんぽう

161 **2** テレビ番組での知事の発言**をめぐって**、市民から批判の電話が鳴り続けた。

Phones rang continuously with people calling to complain about the governor's comments on TV.
围绕着电视节目中知事的发言，不断能接到市民的批判电话。
TV 프로그램에서의 지사의 발언을 둘러싸고 시민으로부터 비판의 전화가 계속 울렸다.

Nをめぐって over N / 围绕 N / N 을 둘러싸고

～にあたって upon / at / due to ~ / ~ 的时候，~ 之际 / ~ 에 있어서

◆テレビに出演する**にあたって**打ち合わせをする。

162 もう一人、社員を<u>雇おう</u>。

1　すくおう
2　うらなおう
3　うかがおう
4　やとおう

13 □□□

もじ

163 犬に顔を＿＿＿＿、べとべとになった。

1　なめられて
2　しゃぶられて
3　かじられて
4　くわえて

13 □□□

ごい

164 いくら品物のよさを強調されても、実際に手にとって＿＿＿＿本当にいいかどうかはわかりません。

1　みることだから
2　みないことから
3　みるにともない
4　みないことには

13 □□□

ぶんぽう

こたえ

もじ

162 **4** もう一人(ひとり)、社員(しゃいん)を**雇(やと)おう**。

Let's hire another employee.
再雇一个社员吧。 / 한 명 더 직원을 고용해야겠다.

雇	**やと** (-う)：雇(やと)う
占	**し** (-める)：占(し)める　**うらな** (-う)：占(うらな)う
伺	**うかが** (-う)：伺(うかが)う

ごい

163 **1** 犬(いぬ)に顔(かお)を**なめられて**、べとべとになった。

The dog licked my face, and it got sticky.
脸被小狗舔了，黏糊糊的。 / 개가 얼굴을 핥아서, 끈적끈적 해 졌다.

なめる	lick / 舔、含 / 핥다	
しゃぶる	suck / 舔、吮、嘬 / 빨다	◆指(ゆび)を**しゃぶる**
かじる	nibble, bite at / 咬、啃 / 베어 먹다	◆リンゴを**かじる**
くわえる	hold in one's mouth / 加上、追加 / 입에 물다	◆タバコを**くわえる**

＊加(くわ)える add / 増加、添加 / 더하다

ぶんぽう

164 **4** いくら品物(しなもの)のよさを強調(きょうちょう)されても、実際(じっさい)に手(て)にとって**みないことには**本当(ほんとう)にいいかどうかはわかりません。

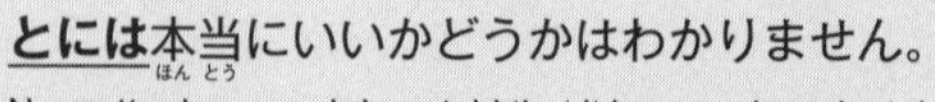

No matter how much I am told that it is a good product, I will not really know whether it is good or not until I hold it in my hands.
不论怎么强调东西多么好，如果不实际拿在手中看，无法知道是不是真好。
아무리 물건의 장점이 강조되어도 실제로 손에 쥐어 보지 않고서는 정말 좋은지 어떤지는 알 수 없습니다.

Vないことには　（＝Vなければ）

◆食(た)べてみ**ないことには**味(あじ)はわからない。
◆いい辞書(じしょ)を持(も)っていても使(つか)わ**ないことには**意味(いみ)がない。

165 大人になったら、りょうしになって海で働きたい。

1　兵士
2　武士
3　漁師
4　理容師

14 □□□

166 このところ＿＿＿＿冷えてきたね。ヒーターを出さないと。

1　ざっと
2　むしろ
3　ぐっと
4　わりに

14 □□□

167 母親は、息子の書いた絵を毎日毎日飽(あ)きる＿＿＿＿眺(なが)めた。

1　ばかりに
2　ように
3　ことなく
4　にかまわず

14 □□□

こたえ

もじ

165 **3** 大人になったら、**漁師**になって海で働きたい。

When I grow up, I want to become a fisherman and work at sea.
长大成人以后，想成为渔夫在海上工作。 / 어른이 되면 어부가 되어서 바다에서 일하고 싶다 .

[漁] **ギョ**：漁業（ぎょぎょう）　**リョウ**：漁師（りょうし）
[師] **シ**：教師（きょうし）・看護師（かんごし）・美容師（びようし）・理容師（りようし）
[兵] **ヘイ**：兵隊（へいたい）・兵士（へいし）
[武] **ブ**：武士（ぶし）・武器（ぶき）

ごい

166 **3** このところ**ぐっと**冷えてきたね。ヒーターを出さないと。

It has suddenly gotten cold recently. I need to get out my heater.
最近非常冷，要把取暖气拿出来了。
요즘 부쩍 날씨가 차가워졌네 . 히터를 꺼내지 않으면 안 되겠다 .

[ぐっと] at once, suddenly, with a jerk / 更加、非常 / 부쩍
[ざっと] roughly, briefly / 大致、粗略、大概 / 대충　◆**ざっと**掃除（そうじ）する
[むしろ] rather, contrary / 宁可、索性 / 오히려

◆ Aより**むしろ**Bの方が好きだ。

[割に] [割と] [割合]（わりに／わりと／わりあい）

comparatively, relatively / 比较 / 비교적 / 비교적 / 비율（＝比較的（ひかくてき））

ぶんぽう

167 **3** 母親は、息子の書いた絵を毎日毎日飽きる**ことなく**眺めた。

She never got tired of looking at her son's painting.
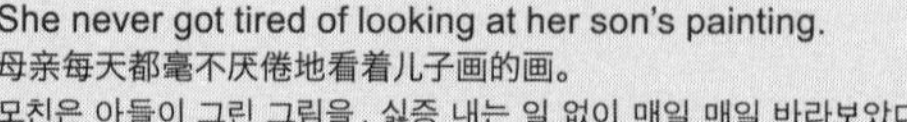
母亲每天都毫不厌倦地看着儿子画的画。
모친은 아들이 그린 그림을 , 싫증 내는 일 없이 매일 매일 바라보았다 .

[Vることなく]（＝Vないで）

◆ 両国は争う**ことなく**問題を解決した。
◆ 父は休む**ことなく**働き続け、ついに体を壊してしまった。

168 本を棚(たな)に戻して（下線）ください。

1　もどして
2　かえして
3　とかして
4　かたして

15 □□□

169 A「トイレの掃除、お願いね。洗濯物も入れておいてね。」
B「人使いがねえ。」

1　あらい
2　くどい
3　きつい
4　つらい

15 □□□

170 社員募集。年齢・性別・経験の有無＿＿＿＿採用します。

1　をとわず
2　をきっかけに
3　をこめて
4　をかぎりに

15 □□□

こたえ

168 **1** 本(ほん)を棚(たな)に**戻(もど)して**ください。

Please put the books back on the shelf.
请把书放回到架子上。 / 책을 책장에 돌려주십시오 .

もじ

[戻] **もど** (-る / -す)：戻(もど)る・戻(もど)す
[返] **ヘン**：返事(へんじ)
かえ (-る / -す)：返(かえ)る・返(かえ)す
[溶] **ヨウ**：溶岩(ようがん)
と (-ける / -かす / -く)：溶(と)ける・溶(と)かす・溶(と)く

169 **1** A「トイレの掃除(そうじ)、お願(ねが)いね。洗濯物(せんたくもの)も入(い)れておいてね。」
B「人使(ひとづか)いが**荒(あら)い**ねえ。」

A: "Please clean the bathroom. Also, bring in the laundry." B: "You are asking a lot of me." / A : "麻烦你打扫一下厕所哦。要洗的东西也放进洗衣机去。" B : "你真会使唤人。" / A「화장실 청소 , 부탁해요 . 빨래도 넣어 두고요 .」B「사람을 거칠게 다루네 .」

ごい

荒い (あらい) rough, wild / 粗暴、野蛮、不礼貌 / 거칠다 ◆**波(なみ)が荒(あら)い**

＊人使(ひとづか)いが荒(あら)い rough manager, slave driver / 用人粗暴、胡乱用人 / 사람을 거칠게 다루다

◆**金遣(かねづか)いが荒(あら)い** spend money lavishly / 挥金如土、乱花钱 / 돈의 씀씀이가 헤프다

◆**言葉遣(ことばづか)いが荒(あら)い** be rough in one's speech / 措辞粗鲁、用词鲁莽 / 말씨가 거칠다

170 **1** 社員募集(しゃいんぼしゅう)。年齢(ねんれい)・性別(せいべつ)・経験(けいけん)の有無(うむ)**を問(と)わず**採用(さいよう)します。

Workers wanted. All applicants will be considered regardless of age, sex, or experience.
招募员工。不论年龄、性别、是否有经验 , 都可录用。
직원 모집 . 나이 · 성별 · 경험의 여부를 불문하고 채용합니다 .

ぶんぽう

Nを問わず regardless of N / 不论 N / N 을 불문하고

Nをきっかけに as a result of N / due to N / 以 N 为契机 / 为契机 / N 을 계기로

◆**事件(じけん)をきっかけに**町(まち)は変(か)わった。

◆**病気(びょうき)をきっかけに**タバコをやめた。

171 材料をギョーザの皮で<u>包みます</u>。

1　たたみます
2　はさみます
3　つつみます
4　にこみます

16 □□□

172 A「田中さんは、美人でスタイルもいいし、もてて困るでしょう。」
B「そんなことないですよ。＿＿＿＿＿くださ い。」

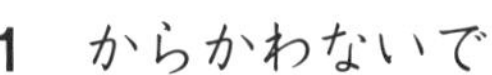
1　からかわないで

2　なぐさめないで
3　おどかさないで
4　けなさないで

16 □□□

173 有名な人の作品＿＿＿＿＿、すばらしいとは限らない。

1　だけあって
2　だからといって
3　のことだから
4　にもかかわらず

16 □□□

もじ

171 **3** 材料(ざいりょう)をギョーザの皮(かわ)で**包(つつ)みます**。

Wrap the ingredients in the gyoza wraps.
把材料用饺子皮包起来。 / 재료를 만두피로 쌉니다 .

材 **ザイ**：材料(ざいりょう)

皮 **ヒ**：皮膚(ひふ)・皮肉(ひにく)

かわ：皮(かわ)・毛皮(けがわ)

包 **ホウ**：包装(ほうそう)・包帯(ほうたい)

つつ(-む)：包(つつ)む・小包(こづつみ)

ごい

172 **1** A「田中(たなか)さんは、美人(びじん)でスタイルもいいし、もてて困(こま)るでしょう。」
B「そんなことないですよ。**からかわないで**ください。」

A: "Tanaka-san, you are so pretty and stylish that you must have guys running after you all the time." B: "That's not true at all. Please do not tease me." / A : "田中你又漂亮身材又好，又受欢迎一定很困惑吧。" B : "哪有的事。不要嘲笑我。" / A「다나카 씨는 미인이고 스타일도 좋고 , 인기가 많아서 곤란하지요 .」B「그런 일 없어요 . 놀리지 마세요 .」

からかう tease, make fun of / 嘲笑、开玩笑、嘲弄 / 놀리다

慰める（なぐさめる） comfort, console / 安慰、安抚 / 위로하다

脅かす（おどかす） threaten / 威胁、恐吓 / 위협하다

けなす insult, speak ill of / 贬低、诽谤 / 헐뜯다 ◆服装(ふくそう)を**けなされた**

ぶんぽう

173 **2** 有名(ゆうめい)な人(ひと)の作品(さくひん)**だからといって**、すばらしいとは限(かぎ)らない。

Just because it is made by a famous artist does not mean that it is great.
虽说是名人的作品，未必就多么了不起。
유명한 사람의 작품이라고 해서 , 꼭 훌륭한 것이라고 할 수는 없다 .

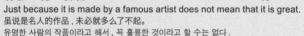

～からといって even though ~ / 虽说 ~ / ~ 라고 해서

◆果物(くだもの)が体(からだ)にいい**からといって**、食(た)べ過(す)ぎるのはよくない。

◆海外(かいがい)留学(りゅうがく)した**からといって**、語学(ごがく)が上達(じょうたつ)するとは限(かぎ)らない。

174 田中は夫の名字で、私のきゅうせいは中村です。

1　元姓
2　旧姓
3　臣姓
4　久姓

17 □□□

175 そんな＿＿＿＿はなかったのに、田中さんを怒らせてしまった。

1　心配
2　計画
3　つもり
4　ようす

17 □□□

176 心を＿＿＿＿作った料理は何でもおいしいものだ。

1　こめて
2　とわず
3　めぐって
4　ぬきに

17 □□□

こたえ

もじ

174 **2** 田中は夫の名字で、私の**旧姓**は中村です。

Tanaka is my husband's last name, and Nakamura is my maiden name.
田中是我丈夫的姓，我的旧姓是中村。
다나카는 남편의 성이고 , 내 구성 (결혼 전의 성) 은 나카무라입니다 .

旧 **キュウ**：旧姓（きゅうせい）・旧正月（きゅうしょうがつ）
姓 **セイ**：姓（せい）
臣 **ジン**：大臣（だいじん）
久 **キュウ**：永久（えいきゅう）
ひさ (- しい)：久しぶり（ひさ）

ごい

175 **3** そんな**つもり**はなかったのに、田中さんを怒らせてしまった。

Even though that was not my intention, I made Tanaka-san angry.
我本没有这个意图，但是还是惹田中生气了。 / 그런 생각은 없었는데 , 다나카 씨 화나게 했다 .

つもり intention / 打算、企图 / 생각 (의도) （＝気（き））

◆そんな**つもり**はありません。
◆あなたを傷（きず）つける**つもり**はなかった。
◆どういう**つもり**？

ぶんぽう

176 **1** 心を**こめて**作った料理は何でもおいしいものだ。

Food tastes better when someone puts their heart into making it.
全身心做的饭菜什么都好吃。 / 마음을 담아 만든 요리는 무엇이든 맛있는 것이다 .

Nをこめて with N / 倾注 N、集中 N / N 을 담아

◆力（ちから）**をこめる** put your heart and soul into something / 集中精力 / (힘 , 정성) 을 들이다
＊力（ちから）がこもる be full of vitality / 充满了力量 / * 힘이 들어가다
◆気持（きも）ち**がこもった**料理（りょうり）はおいしい。

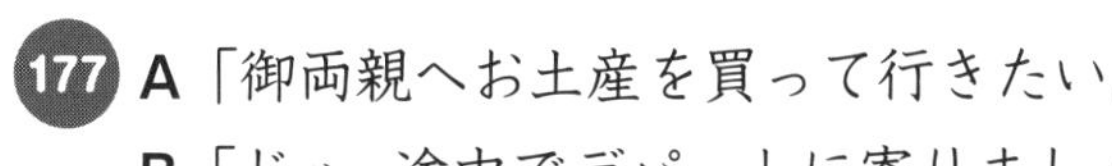

177 A「御両親へお土産を買って行きたいんですが。」
B「じゃ、<u>途中</u>でデパートに寄りましょう。」

1　とうちゅう
2　とちゅう
3　どうちゅう
4　どちゅう

もじ

18 □□□

178 自転車が故障したので、肩に＿＿＿＿運んだ。

1　どけて
2　はさんで
3　つっこんで
4　かついで

ごい

18 □□□

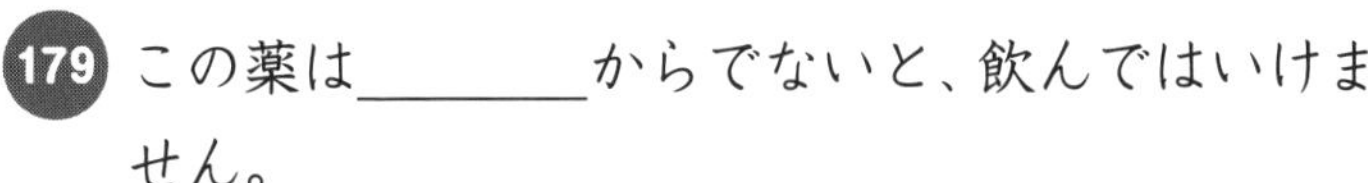

179 この薬は＿＿＿＿からでないと、飲んではいけません。

1　食事をしない
2　食事をする
3　食事をして
4　食事をした

ぶんぽう

18 □□□

こたえ

177 **2** A「御両親へお土産を買って行きたいんですが。」

B「じゃ、**途中**でデパートに寄りましょう。」

A: "I would like to buy a gift for your parents." B: "Then let's stop by a department store." / A : "我想给你父母买礼物。" B : "那我们顺道去一下百货店吧。" / A「부모님께 선물을 사 가고 싶은데요 .」B「그럼 , 도중에 백화점에 들릅시다 .」

もじ

御 **ゴ**：御飯・御家族

おん：御中

途 **ト**：途中

寄 **キ**：寄付する

よ (-る / -せる)：寄る・寄せる

178 **4** 自転車が故障したので、肩に**担いで**運んだ。

My bike got broken in an accident, so I carried it on my shoulder.
自行车坏了，扛在肩上搬运。 / 자전거가 고장이 나서 , 어깨에 메고 날랐다 .

ごい

担ぐ (かつぐ) carry on one's shoulder / 扛、挑、担 / 어깨 등에 메다

どける move out of the way / 挪开、移开 / 치우다 ◆椅子を**どける**

＊どく ◆ちょっと**どいて**。

はさむ put in between, be caught in between / 夹 / 사이에 끼우다

◆ドアに指を**はさむ**

突っ込む (つっこむ) thrust something into, cram / 闯入、钻入、插入 / 찔러 넣다

◆ポケットに手を**突っ込む**

179 **3** この薬は**食事をして**からでないと、飲んではいけません。

OK 食事をしてから飲んでください。

Do not take this medicine unless you have eaten a meal.
这种药 , 如果不吃完饭就不能吃。 / 이 약은 식사를 한 후가 아니면 , 먹어서는 안됩니다 .

ぶんぽう

V_1てからでないとV_2ない **V_1てからでなければV_2ない**

(＝V_2 するためには V_1 をしなければならない)

◆この店は食券を買**ってからでないと**入れ**ません**。(＝買ってからでなければ)

◆妻と相談**してからでなければ**、お返事でき**ません**。(＝相談してからでないと)

180 みんなで<u>わ</u>になって、踊りましょう。

1　玉
2　輪
3　岩
4　和

19 □□□

181 田中さん、私の言ったことで気を＿＿＿＿らしく、口をきいてくれないの。

1　悪くした
2　落とした
3　さわった
4　かかった

19 □□□

182 彼女の定期券を拾った＿＿＿＿、私たちは友達になった。

1　からといって
2　のをもとに
3　からより
4　のをきっかけに

19 □□□

もじ

180 **2** みんなで**輪**になって、踊りましょう。

Let's all form a circle and dance.
大家围成一圈跳舞吧。 / 모두 원형을 이루고 , 춤을 추자 .

輪 **リン**：車輪
わ：輪・指輪
玉 **たま**：玉・玉ねぎ
岩 **ガン**：溶岩
いわ：岩
和 **ワ**：和室・平和
なご（- やか）：和やか　**やわ**（- らぐ）：和らぐ

ごい

181 **1** 田中さん、私の言ったことで気を**悪くした**らしく、口をきいてくれないの。　OK 気に障った

It looks like what I said upset Tanaka-san, and now she will not talk to me.
田中，我好像说了什么让你不开心了，不跟我说话了么？
다나카 씨는 내가 한 말에 기분이 상했는지 얘기도 안 해요 .

気を悪くする（きをわるくする） take offense, feel hurt / 不愉快 / 기분을 상하게 하다

気を落とす（きをおとす） be discouraged / 灰心丧气 / 낙심하다

◆そんなに**気を落とさない**で。

気に障る（きにさわる） hurt one's feelings, rub the wrong way / 得罪、伤感情、使人不快 / 비위에 거슬리다（＝気を悪くする）

ぶんぽう

182 **4** 彼女の定期券を拾った**のをきっかけに**、私たちは友達になった。

I found her commuter's pass, and that was the beginning of our friendship.
我捡到了她的月票 , 以此为契机 , 我们成了朋友。
그녀의 정기권을 주운 일을 계기로 , 우리는 친구가 되었다 .

Nをきっかけに **Nを契機に** as a result of N / due to N / 以 N 为契机 / 为契机 / N 을 계기로

◆結婚**をきっかけに**マンションを買うことにした。

◆転職**を契機に**生活習慣を改めた。

＊「～を契機に」は硬い文に使う

183 総理大臣は米国を訪問し、環境問題について語った。

1　かんきゅう
2　けんきゅう
3　けんきょう
4　かんきょう

20 □□□

184 近くに新しいレストランができたので、＿＿＿＿＿行ってみた。

1　いずれ
2　さっそく
3　たびたび
4　とうとう

20 □□□

185 山本君はスポーツはできないが、＿＿＿＿＿学校で一番だ。

1　頭がいいからといって
2　頭がいいどころか
3　頭のよさをぬきにして
4　頭のよさにかけては

20 □□□

こたえ

もじ

183 **4** 総理大臣は米国を訪問し、**環境**問題について語った。

The prime minister visited America and discussed environmental issues.
总理大臣访问了美国，谈了环境问题。 / 수상은 미국을 방문하고，환경 문제에 대해 말했다.

総 **ソウ**：総理大臣・総合

訪 **ホウ**：訪問する

たず（-ねる）：訪ねる　**おとず**（-れる）：訪れる

環 **カン**：環境

ごい

184 **2** 近くに新しいレストランができたので、**早速**行ってみた。

I went to the new restaurant near my house just after it opened.
附近新开了一家餐馆，马上去看了看。 / 근처에 새로운 레스토랑이 생겨서 바로 가봤다.

早速（さっそく） at once / 立刻 / 즉시

いずれ sooner or later / 早晚 / 머지않아

◆景気は**いずれ**よくなるだろう。

たびたび often / 再三 / 자주 （＝よく／しばしば）

とうとう at last / 终于 / 마침내

◆田中さんは**とうとう**来なかった。

ぶんぽう

185 **4** 山本君はスポーツはできないが、**頭のよさにかけては**学校で一番だ。

Yamamoto-kun is no athlete, but when it comes to brains, he is the brightest in the school.
山本虽然运动不行，可在脑子聪明方面是学校第一。
야마모토 군은 스포츠는 못 하지만，머리가 좋은 것에 있어서는 학교에서 제일이다.

Nにかけては when it comes to N / 在 N 的方面 / N 에 있어서는

◆演説のうまさ**にかけては**彼の右に出る者はいない。

◆ちょっと高いけれど、おいしさ**にかけては**この店が一番だ。

186 <u>狭い</u>部屋でも構いません。安いほうがいいです。

1　あさい
2　ひろい
3　せまい
4　きつい

21 □□□

もじ

187 今日の午後、雨は＿＿＿＿強くなるでしょう。

1　ただちに
2　すでに
3　ひとりでに
4　しだいに

21 □□□

ごい

188 台風で家が飛ばされそうになり、みな、学校や仕事に＿＿＿＿どころではなかった。

1　行って
2　行く
3　行かない
4　行った

21 □□□

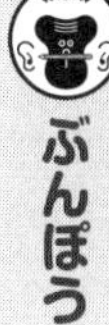

ぶんぽう

もじ

186 **3** 狭い部屋でも構いません。安いほうがいいです。

I do not mind a small room. Cheaper is better.
就算是小房间也没关系。最好是便宜的。
좁은 방에서도 개의치 않습니다. 값이 싼 편이 좋습니다.

狭 **せま** (-い)：狭い
構 **コウ**：結構な・構成する
かま (-う)：構わない
浅 **あさ** (-い)：浅い

ごい

187 **4** 今日の午後、雨は次第に強くなるでしょう。

The rain will get stronger in the afternoon.
今天下午，雨会逐渐变大。 / 오늘 오후에，비가 점차 거세어질 것입니다.

次第に (しだいに) gradually / 逐渐 / 점점（점점） (＝だんだん)
直ちに (ただちに) immediately / 立刻 / 바로 ◆**直ちに**手術をする
すでに already / 已经 / 이미
◆その家は**すでに**売れてしまった。
ひとりでに automatically / 自然地 / 저절로
◆ドアが**ひとりでに**開いた。

ぶんぽう

188 **2** 台風で家が飛ばされそうになり、みな、学校や仕事に行くどころではなかった。 **OK** 学校や仕事どころではなかった

Because their houses were in danger of being blown away by the typhoon, no one was in a position to go to school or to work. / 台风差点把房子刮跑了。大家都顾不上去上学或上班了。 / 태풍으로 집이 날아갈 것 같아, 모두 학교나 일하러 갈 경황이 아니었다.

～どころではない
do / can not even think about ~ (the situation does not allow you to do ~) / 顾不上～、不是～的时候 / ～할 경황은 아니다

◆仕事をクビになり、貯金**どころではない**。

189 はたけを耕し、種をまいた。

1 畳
2 畑
3 埋
4 細

もじ

22 □□□

190 どうしたんだろう。家の前に人が＿＿＿＿＿いるよ。

1 おおぜい
2 おおいに
3 およそ
4 おおくに

ごい

22 □□□

191 CO_2 を減らすことを目的＿＿＿＿＿運動が盛(さか)んに行われている。

1 による
2 にそった
3 とした
4 にさいした

ぶんぽう

22 □□□

もじ

189 **2** **畑**を耕し、種をまいた。

I ploughed the field and planted seeds.
耕田播种。 / 밭을 갈고 씨를 뿌렸다 .

[畑] **はたけ**：畑

[耕] **コウ**：耕地

たがや (-す)：耕す

[畳] **ジョウ**：6 畳

たたみ：畳

[埋] **う** (-める)：埋める

ごい

190 **1** どうしたんだろう。家の前に人が**大勢**いるよ。

I wonder why. There are a lot of people in front of my house.
出什么事了。家门口有很多人。 / 무슨 일일까 ? 집 앞에 사람들이 많이 있어요 .

[**大勢**] (おおぜい) many people / 很多（人）/ 많은 사람 （＝たくさん）

◆**大勢**の人

[**大いに**] (おおいに) greatly / 非常 / 크게

[**お(お)よそ**] roughly, approximately / 大约 / 대강

ぶんぽう

191 **3** CO_2 を減らすことを目的**とした**運動が盛んに行われている。

More and more activities are focusing on CO2 reduction.
以减少 CO2 为目的的运动在盛行。
CO2 를 줄이는 것을 목적으로 한 운동이 활발하게 이루어지고 있다 .

[**N_1をN$_2$とする**] decide that N_1 is N_2, decide to make N_1 (into) N_2 / 把 N_1 当作 N_2 / N_1 을 N_2 로 하다

◆このテレビ番組は、自然や地球を**テーマとしている**。

◆高齢者を対象**とする**ビジネスが増えている。

192 準備が整い次第、運転を再開します。

1　いきおい
2　おこない
3　ととのい
4　うたがい

193 そういう問題は、人を＿＿＿＿＿自分で解決することが重要です。

1　たよらずに
2　ためさずに
3　だまさずに
4　ためずに

23 □□□

194 安いものを上手に買うこと＿＿＿＿＿、彼女に勝てる人はいない。

1　にわたっては
2　にかけては
3　をきっかけに
4　をぬきには

23 □□□

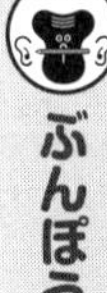

もじ

192 **3** 準備が**整い**次第、運転を再開します。

The train will start running again as soon as it is ready.

只要准备齐全了，马上重新运转。 / 준비가 되는 대로 운전을 재개합니다 .

整 **セイ**：整理する・整理券・整数

ととの (-う)：整う

勢 **セイ**：大勢・姿勢

いきお (-い)：勢い

疑 **ギ**：疑問

うたが (-う)：疑う

ごい

193 **1** そういう問題は、人を**頼らずに**自分で解決することが重要です。

It is important to solve problems like that on your own without depending on others.

这种问题，关键是不要依赖别人，要靠自己解决。

그런 문제는 , 다른 사람에게 의지하지 말고 스스로 해결하는 것이 중요합니다 .

頼る (たよる) depend on / 靠 / 의지하다

試す (ためす) test, try / 试 / 시도하다 ◆自分の力を**試す**

だます deceive, cheat / 骗 / 속이다 ◆人を**だます**

ためる save, collect / 攒、存 / 모으다 ◆お金を**貯める**

＊洗濯物がたまる

ぶんぽう

194 **2** 安いものを上手に買うこと**にかけては**、彼女に勝てる人はいない。

She is the best when it comes to shopping around for good deals.

在善长买到便宜东西方面，没有人能胜过她。

싼 물건을 잘 사는 것에 있어서는 그녀를 이길 사람이 없다 .

Nにかけては when it comes to N / 在 N 的方面 / N 에 있어서는

◆このリンゴ、立派だけれど、味**にかけては**もう一つだね。

◆私は速く走ること**にかけては**クラスの誰にも負けない。

195 今日は天気がいいから、布団をほそう。

1　放そう
2　超そう
3　干そう
4　戻そう

24 □□□

もじ

196 A「サッカーの試合、何時から？」
B「もう＿＿＿＿始まってるよ。」

1　とつぜん
2　ついに
3　とっくに
4　やっと

24 □□□

ごい

197 たとえ無理な約束でも、約束した＿＿＿＿、どんなことがあっても守るつもりだ。

1　からには
2　からといって
3　ばかりに
4　どころか

24 □□□

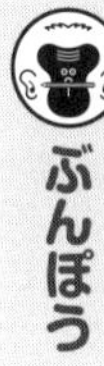

ぶんぽう

195 **3** 今日は天気がいいから、布団を<u>**干そう**</u>。

Since it is such a nice day, let's put the futons out in the sun.
今天天气好，晒晒被子吧。 / 오늘은 날씨가 좋으니까 이불을 널어서 말리자 .

もじ

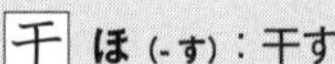

干 **ほ** (- す)：干す

放 **ホウ**：放送する・開放する・解放する

はな (- れる / - す)：放れる・放す

超 **チョウ**：超過する

こ (- える / - す)：超える・超す

196 **3** A「サッカーの試合、何時から？」

B「もう<u>**とっくに**</u>始まってるよ。」

A: "What time does the soccer game start at?" B: "It started a while ago."
A: "足球比赛几点开始？" B: "早就已经开始了。"
A「축구 경기 , 몇 시부터지 ?」B「벌써 훨씬 전에 시작했어 .」

ごい

とっくに	long time ago / 早就 / 훨씬 전에	
突然 (とつぜん)	suddenly / 突然 / 갑자기	
ついに	finally / 终于 / 드디어	◆**ついに**できた。
やっと	at last / 终于、终于 / 겨우	◆**やっと**わかった。

197 **1** たとえ無理な約束でも、約束した<u>**からには**</u>、どんなことがあっても守るつもりだ。

No matter how difficult it may be, I will definitely keep my promise.
就算是不合理的约定，既然约好了，不论有什么事情我都打算遵守。
예를 들어 무리한 약속이라도 , 약속한 이상에는 , 어떤 일이 있어도 지킬 생각이다 .

～からには not that ~, since ~ / 既然 ~ 就… / 한 이상에는~

◆<u>受験する**からには**</u>合格したい。

～からといって even though ~ / 虽说 ~ / ~ 라고 해서

◆<u>約束した**からといって**</u>、誰でも守るとは限らない。

198 髪が<u>伸びた</u>ので、床屋へ行くつもりだったが、風邪で延期した。

もじ

1　のびた
2　さびた
3　あびた
4　おびた

199 犬が逃げたので＿＿＿＿けれど、捕まえることができなかった。

ごい

1　追い越した
2　追いかけた
3　引きとめた
4　引き返した

25 □□□

200 このドラマは、実際にあった話＿＿＿＿制作されました。

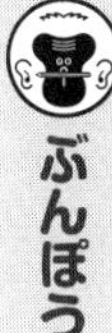

ぶんぽう

1　のもとで
2　によると
3　をもとに
4　にそった

25 □□□

こたえ

もじ

198 **1** 髪が<u>**伸びた**</u>ので、床屋へ行くつもりだったが、風邪で延期した。

My hair has grown so I had intended to go to the barber shop, but I put it off because of my cold.
头发长了，本来想去理发店的，因为感冒而延期了。
머리카락이 길어져서 , 이발소에 갈 생각이었는데 , 감기 때문에 연기했다 .

髪	ハツ	：整髪料・白髪
	かみ	：髪・髪の毛　＊白髪
伸	の (-びる / -ばす)	：伸びる・伸ばす
延	エン	：延長する・延期する
	の (-びる / -ばす)	：延びる・延ばす

ごい

199 **2** 犬が逃げたので<u>**追いかけた**</u>けれど、捕まえることができなかった。

The dog got away so I chased it, but I could not catch it.
狗跑了, 虽然去追了, 可没能捉住。 / 개가 달아났기 때문에 쫓아 갔는데 , 잡을 수 없었다 .

追いかける	(おいかける)	run after, chase / 追赶 / 뒤쫓아 가다	
追い越す	(おいこす)	pass / 赶过 / 추월하다	◆車を**追い越す**
引きとめる	(ひきとめる)	detain, keep / 挽留 / 붙잡다 .	◆客を**引きとめる**
引き返す	(ひきかえす)	turn back / 返回 / 되돌리다	◆家に**引き返す**

ぶんぽう

200 **3** このドラマは、実際にあった話<u>**をもとに**</u>制作されました。

This drama is based on a true story.
这个电视剧 , 是根据实际的真事儿制作的。
이 드라마는 실제로 있었던 이야기를 바탕으로 제작되었습니다 .

Nをもとに（して）　based on N / 以 N 为基础 / N 을 바탕으로

◆過去の<u>データをもとに</u>予想する。

Nのもとで　under N / 在 N 之下 / N 하에서

◆<u>親のもとで</u>育つ。

201 その爆発事故のニュースは、<u>翌日</u>の朝刊に大きく取り上げられた。

1　よくじつ
2　よくにち
3　あくるひ
4　みょうにち

26 □□□

もじ

202 この件を解決するために、何かいい＿＿＿＿がありたら出してください。

1　案
2　運
3　能
4　質

26 □□□

ごい

203 この植物には毒があるというが、確かに色＿＿＿＿普通ではない。

1　からこそ
2　からには
3　からして
4　からといって

26 □□□

ぶんぽう

こたえ

もじ

201 **1** その爆発事故のニュースは、__**翌日**__の朝刊に大きく取り上げられた。

The news of that explosion was heavily featured in the morning newspaper the next day.
那个爆炸事件的新闻，第二天被大幅刊登在晨报上。
그 폭발 사고 뉴스는 다음날 조간신문에 크게 올랐다 .

- 爆 **バク**：爆発する
- 翌 **ヨク**：翌日・翌年
- 刊 **カン**：朝刊・週刊誌

ごい

202 **1** この件を解決するために、何かいい__**案**__があったら出してください。

Please think of a good suggestion to solve this problem.
如果有什么能解决此事的好方案，请提出来。
이 사건을 해결하기 위해 어떤 좋은 생각이 있으면 제출해주십시오 .

- **案** (あん) suggestion, proposal, plan / 草案 / 안 (생각)　◆**案**を出す
- **運** (うん) luck / 运气 / 운　◆**運**がいい
- **能** (のう) ability / 才能 / 능력　(＝能力 / 才能)
  - ◆弟は野球をするしか**能**がない。
- **質** (しつ) quality / 品质 / 질　◆**質**がいい

ぶんぽう

203 **3** この植物には毒があるというが、確かに色__**からして**__普通ではない。

I have heard this plant is poisonous. It is true that you can tell from the color that it is not a normal plant.
这种植物说是有毒，确实，光从颜色看就不一般。
이 식물에는 독이 있다고 하는데 , 확실히 색부터가 보통이 아니다 .

Nからして　can tell from N / 光从 N 来看 / N 부터가

- ◆あの人は__言葉づかい**からして**__上品だ。
- ◆彼の家は__門**からして**__立派だ。

204 名前や住所を<u>とうろく</u>した。

1　依頼
2　登録
3　変更
4　申告

27 □□□

205 演奏（えんそう）が終わると、観客は＿＿＿＿立ち上がって拍手（はくしゅ）した。

1　いまにも
2　かってに
3　ひっしに
4　いっせいに

27 □□□

206 コンピューターは＿＿＿＿ものの、故障したりすると本当に困る。

1　便利
2　便利な
3　便利だ
4　便利じゃない

27 □□□

こたえ

もじ

204 **2** 名前や住所を**登録**した。

I registered my name and address. / 登记了姓名及地址。 / 이름과 주소를 등록했다.

[録] **ロク**：登録する・記録する

[依] **イ**：依頼する

[更] **コウ**：変更する・更新する

さら：更に　**ふ** (-ける)：夜が更ける

[申] **シン**：申告する

もう (-す)：申す・申し上げる

ごい

205 **4** 演奏が終わると、観客は**一斉に**立ち上がって拍手した。

After the performance, the audience rose at once and gave them a standing ovation.

演奏结束后，观众们一起站起身拍手。 / 연주가 끝나자 관객들은 일제히 일어나 박수를 보냈다.

一斉に (いっせいに) all together / 一齐 / 일제히

今にも (いまにも) at any time, soon / 马上、眼看 / 지금이라도 당장

◆ **今にも**雨が降りそうだ。

勝手に (かってに) at one's own discretion / 随便、任意 / 마음대로　◆**勝手に**する

必死に (ひっしに) desperately / 尽全力地 / 필사적으로 (불가피하게)　◆**必死に**働く

ぶんぽう

206 **2** コンピューターは**便利な**ものの、故障したりすると本当に困る。

Computers are convenient but, by that same token, can cause huge problems when they break down.

电脑虽然方便，但如果出了故障，真的很麻烦。

컴퓨터는 편리한 물건이긴 하지만, 고장 나거나 하면 정말 난처하다.

～ものの　but, although / 虽然、虽说 / ~ 하기는 하지만 (＝～けれど)

◆この町は都心から遠くて不便ではある**ものの**、静かなので気に入っている。

◆一生懸命勉強している**ものの**、成績はよくならない。

207 彼女には健康上の<u>悩み</u>があるようだ。

1　にらみ
2　いやみ
3　ひがみ
4　なやみ

もじ

28 □□□

208 タバコは吸っている本人だけではなく、近くにいる人にも＿＿＿＿になる。

1　罪
2　害
3　悪
4　損

ごい

28 □□□

209 非常＿＿＿＿このボタンを押してください。

1　の際には
2　に際して
3　の最中に
4　の中を

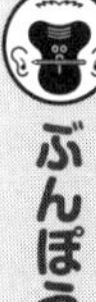
ぶんぽう

28 □□□

もじ

207 **4** 彼女には健康上の**悩み**があるようだ。

It seems that she has some health concerns.
她似乎有健康上的烦恼。 / 그녀는 건강상의 고민이 있는 것 같다 .

健	**ケン**：保健
	すこ (- やか)：健やか
康	**コウ**：健康
悩	**なや** (- む / - ます)：悩む・悩み・悩ます

ごい

208 **2** タバコは吸っている本人だけではなく、近くにいる人にも**害**になる。

Cigarettes harm not only those smoking them, but those around them as well.
香烟不仅对吸烟的本人 , 对旁边的人也有危害。
담배는 피우고 있는 본인뿐 아니라 가까이 있는 사람에게도 해가 된다 .

害	(がい)	harm / 害 / 해 (나쁜 영향)	◆**害**を与える
罪	(つみ)	sin, crime / 罪 / 죄	◆**罪**を犯す
悪	(あく)	evil / 坏 / 악	◆善と**悪**
損	(そん)	loss / 亏、陪 / 손해	◆**損**をする⇔ 得をする

ぶんぽう

209 **1** 非常**の際には**このボタンを押してください。

Press this button in case of emergency.
紧急时刻请摁这个按钮。 / 비상시에는 이 버튼을 누르십시오 .

~際(に / は) (=~ときには) ＊硬い表現 ＊~の際／Vる際／Vた際

◆引っ越しました。お近くに**お越しの際には**お立ち寄りください。

(=来たときには)

~中を despite ~ / 尽管在 ~ 之下也… / (어떤 상태가 진행되는) 가운데

◆**雨の中を**お集まりいただきまして、ありがとうございます。

210 この事故に関して、会社はせきにんを負うべきだ。

1　青任
2　績任
3　積任
4　責任

もじ

29 □□□

211 この夏の＿＿＿＿に、ヨーロッパ旅行をしようと思っています。

1　休養（きゅうよう）
2　休憩（きゅうけい）
3　休息（きゅうそく）
4　休暇（きゅうか）

ごい

29 □□□

212 さんざん迷った＿＿＿＿、進学せずに就職（しゅうしょく）することにした。

1　すえに
2　だけあって
3　とたんに
4　のあげく

ぶんぽう

29 □□□

もじ

210 **4** この事故に関して、会社は**責任**を負うべきだ。

The company should take responsibility for this accident.
关于这个事故，公司应该承担责任。 / 이 사고에 대해 , 회사는 책임을 져야 한다 .

責 **セキ**：責任
せ (-める)：責める

青 **セイ**：青年・青春
あお：青　**あお** (-い)：青い　＊真っ青

績 **セキ**：成績・実績

積 **セキ**：面積・積極的な⇔消極的な
つ (-もる / -む)：積もる・積む

ごい

211 **4** この夏の**休暇**に、ヨーロッパ旅行をしようと思っています。

I am planning to go on a trip to Europe this summer vacation.
这个夏天休假时 , 想去欧洲旅行。 / 이번 여름 방학에 , 유럽 여행을 하려고 생각하고 있습니다 .

休暇 (きゅうか) vacation / 休假 / 휴가　◆ **休暇**を取る

休養 (きゅうよう) rest / 休养 / 휴양

＊十分に**休養**してください。

休憩 (きゅうけい) break / 休息、小憩 / 휴게

＊疲れたから**休憩**しましょう。

休息 (きゅうそく) rest / 休息 / 휴식

ぶんぽう

212 **1** さんざん迷った**末に**、進学せずに就職することにした。

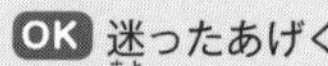

OK 迷ったあげく

After a lot of debate and hesitation, I decided to work instead of going on to the next stage of education.
犹豫再三后，决定不升学了，直接就职。 / 몹시 고민한 후에 진학하지 않고 취직하기로 했다 .

Vた末(に) **Nの末(に)** after ~ / ~ 之后 , 结果… / ~한 끝에 （＝～した結果）

Vたあげく(に) **Nのあげく(に)** after V / ~ 之后 , 结果… / V 한 끝 (에)
（＝～した結果）　＊悪い結果が多い

◆ 客は何着も試着**したあげく**、買わずに帰った。

213 老人や児童をねらった犯罪が増えている。

1　にどう
2　ようじ
3　じどう
4　しょうに

30 □□□

もじ

214 ＿＿＿＿＿あなたの言いたいことは、私に責任があるということですね。

1　ようするに
2　ようやく
3　はたして
4　せめて

30 □□□

ごい

215 この検査結果を＿＿＿＿＿限り、どこも異常はなさそうです。

1　見て
2　見ない
3　見る
4　見よう

30 □□□

ぶんぽう

もじ

213 **3** 老人や<u>**児童**</u>をねらった犯罪が増えている。

The number of crimes involving elderly people and children is increasing.
以老人或儿童为目标的犯罪增多了。 / 노인과 아동을 노린 범죄가 증가하고 있다.

老	**ロウ**：老人
	お（-いる）：老いる　**ふ**（-ける）：老ける
児	**ジ**：児童・幼児　**ニ**：小児科
罪	**ザイ**：犯罪
	つみ：罪

ごい

214 **1** <u>**要するに**</u>あなたの言いたいことは、私に責任があるということですね。　**OK** つまり／すなわち

So what you want to say is that I am the one who is responsible. Right?
总而言之你就是想说我有责任吧。
요컨대 당신이 말하고 싶은 것은 나에게 책임이 있다는 것이군요.

要するに	（ようするに） in a word, the point is... / 总而言之 / 요컨대
ようやく	finally, at last / 总算、终于 / 간신히
果たして	（はたして） as was expected / 果然、果真 / 과연
	◆**果たして**～だろうか really?, ever? / 到底 ~ 呢? / 과연 ~ 일까
せめて	at least / 至少、哪怕…也好 / 적어도

ぶんぽう

215 **3** この検査結果を<u>**見る**</u>限り、どこも異常はなさそうです。

OK 見た限り

As far as the test results show, there seems to be no problem.
如果光看检查的结果，好像没有任何异常。
이 검사 결과를 보는 한, 어디도 이상하지 않은 것 같습니다.

V限り　as far as ~ is concerned / 如果光 ~、在 ~ 范围内 / ~하는 한 (= 그 범위에서는)

＊Vる限り／Vている限り／Vた限り　（＝Vの範囲では）

V ない限り　as far as ~ / 如果不 ~ / ~하지 않는 한（＝Vなければ）

◆検査を<u>して**みない限り**</u>、異常があるかどうかわからない。

216 足りないものを補いましょう。→156

1　いきおいましょう　　2　おぎないましょう

1□□□

217 必ず、紙につつんで捨ててください。→171

1　印んで　　2　包んで

2□□□

218 そんな＿＿＿＿格好で外へ行かないで。恥ずかしいじゃない。→154

1　やかましい　　2　みっともない

1□□□

219 ネコがコップに頭を＿＿＿＿水を飲んでいる。→178

1　つっこんで　　2　はさんで

2□□□

220 父はお酒も毎晩＿＿＿＿、タバコも一日１箱以上吸う。→131

1　飲めば　　2　飲まなければ

1□□□

221 この風景は言葉では＿＿＿＿ようがない。→143

1　言い表し　　2　言い表さない

2□□□

もじ　ごい　ぶんぽう

もじ

222 「戻る」ボタンを押してください。→ 168

1 かえる　　2 もどる

3 □□□

223 本日の司会をつとめる田中です。→ 138

1 勤める　　2 務める

4 □□□

ごい

224 その方法が________成功（せいこう）につながるとは限らないが、やってみる価値はあると思う。→ 187

1 ただちに　　2 いっせいに

3 □□□

225 このテーブルじゃまだから、あっちに________よ。→ 178

1 どいて　　2 どけて

4 □□□

ぶんぽう

226 そこは日本人が多い________日本人町と呼ばれた。→ 158

1 ことから　　2 ばかりに

3 □□□

227 雨は止む________一週間降り続いた。→ 167

1 ことなく　　2 ことには

4 □□□

前のページの答え　216 2　217 2　218 2　219 1　220 1　221 1

もじ

228 恵まれない子供たちに寄付をお願いします。→177

1　きふ　　2　くふ

5□□□

229 泥棒ではないかと警察にうたがわれた。→192

1　争われた　　2　疑われた

ごい

230 今日は、お酒を飲みながら＿＿＿＿語り合いましょう。

1　しだいに　　2　おおいに

5□□□

231 あなたは休暇（きゅうか）にどこかへ行こうと言うけれど、私は＿＿＿＿家でゆっくりしたい。→166

1　わりあい　　2　むしろ

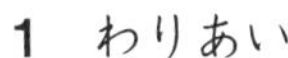

ぶんぽう

232 彼は泳ぐこと＿＿＿＿だれにも負けない自信があった。

1　ばかりに　　2　にかけては

233 あの人は服装＿＿＿＿だらしない。→203

1　からには　　2　からして

6□□□

もんだい

もじ

234 お客さんが店の前に<u>大勢</u>ならんでいる。→192

1 おおぜい　　2 たいせい

7 □□□

235 人口は約一<u>おく</u>三千万人です。→129

1 億　　2 兆

8 □□□

ごい

236 彼女はそのことを聞いて＿＿＿＿ 泣き出しそうだった。→205

1 いまだに　　2 いまにも

7 □□□

237 無料で洗顔石けんをお配りしています。一度＿＿＿＿ください。→193

1 おためしになって　　2 おそろえになって

8 □□□

ぶんぽう

238 飛べる＿＿＿＿飛んで行きたい。→140

1 ものなら　　2 ことから

7 □□□

239 ３時間も待たされた＿＿＿＿、来られないと言われた。→212

1 のもかまわず　　2 あげく

8 □□□

前のページの答え　228 1　229 2　230 2　231 2　232 2　233 2

240 袋は要りません。→132

1　ふろく　　2　ふくろ

9□□□

241 野菜で肉をまいて食べた。→144

1　巻いて　　2　券いて

10□□□

もじ

242 うちの嫁は何事にも＿＿＿＿　から、いちいち注意しないといけない。→127

1　気がきかない　　2　気がすすまない

9□□□

243 いやだという気持ちを＿＿＿＿ばかりいると、病気になっちゃうよ。→133

1　せめて　　2　おさえて

10□□□

ごい

244 机にむかってはいる＿＿＿＿、ちっとも勉強していない。

→146

1　ものだから　　2　ものの

9□□□

ぶんぽう

245 ＿＿＿＿ことには、おもしろいかどうかわからない。→164

1　やってみない　　2　やってみる

10□□□

前のページの答え  234 1  235 1  236 2  237 1  238 1  239 2

もじ

246 土地を耕して、畑を作る。→189

1　たやがして　　2　たがやして

11 □□□

247 今学期はせいせきがよかった。→210

1　成績　　2　成積

12 □□□

ごい

248 彼はうそをついていないと思うが、＿＿＿＿その話は本当だろうか。→214

1　はたして　　2　ようやく

11 □□□

249 5キロは無理かもしれないが、＿＿＿＿3キロはやせたい。→214

1　せっかく　　2　せめて

12 □□□

ぶんぽう

250 忙しくて遊びに行く＿＿＿＿。→188

1　ほかない　　2　どころではない

11 □□□

前のページの答え　240 2　241 1　242 1　243 2　244 2　245 1

第3週

Week 3 / 第 3 周 / 제 3 주

- ６日目まで終わったら、正解の数を数えて記入しましょう。
- 正解の少ない分野があったら、もう一度やってから７日目に進みましょう。
- ７日目は復習です。終わったら正解の数を記入して、学習の効果を確認しましょう。

- At the end of the first six days, count the number of questions that were correct.
- If there is a section where you got only a few questions correct, please do it over before moving on to the seventh day.
- The seventh day is for reviewing. When you are finished, fill in the number of the correct answers to see how you have improved.

- 学到第 6 天时，将回答正确的题数记录下来。
- 正确率较低的部分，重新再做一遍以后再学习第 7 天的内容。
- 第 7 天为复习。做完后将回答正确的题数记录下来，确认学习效果。

- 6 일째까지 마친 후 정답 수를 세어 기록합시다.
- 정답 수가 적은 분야가 있으면 다시 한 번 한 후에 7 일째를 합시다.
- 7 일째는 복습입니다. 다 마친 후 정답 수를 적고, 학습 효과를 확인합시다.

もじ

	１～６日目	７日目（ふくしゅう）
1回目	／30問	／12問
2回目	／30問	／12問
3回目	／30問	／12問

ごい

	１～６日目	７日目（ふくしゅう）
1回目	／30問	／12問
2回目	／30問	／12問
3回目	／30問	／12問

ぶんぽう

	１～６日目	７日目（ふくしゅう）
1回目	／30問	／11問
2回目	／30問	／11問
3回目	／30問	／11問

前のページの答え　246 2　247 1　248 1　249 2　250 2

もじ

＿＿＿＿のことばをひらがなは漢字に、漢字はひらがなに直して、正しいものを選択肢から選びなさい。

Choose the correct word from the multiple options after converting the underlined *kanji* word into *hiragana* or the *hiragana* word into *kanji*.

将 ＿＿＿＿ 部分的假名变成汉字, 汉字变成假名, 从选项中选择正确的。

＿＿＿＿ 의 말을 히라가나는 한자로, 한자는 히라가나로 고쳐, 바른것을 선다형에서 고르시오.

ごい

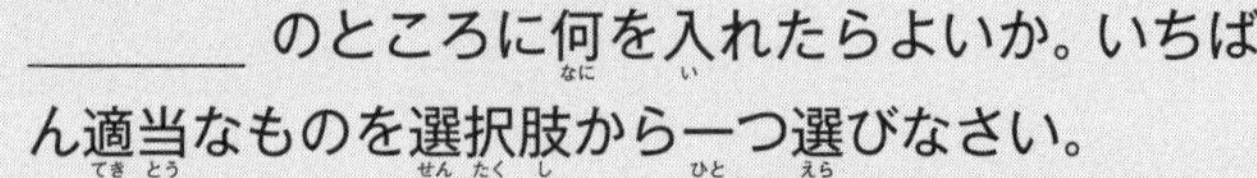

＿＿＿＿のところに何を入れたらよいか。いちばん適当なものを選択肢から一つ選びなさい。

What is the right word to fit in the underlined space? Choose one correct word out of the multiple options.

＿＿＿＿ 中应该填入什么? 从选项中选择最恰当的。

＿＿＿＿ 에 무엇을 넣으면 좋은지. 가장 적당한 것을 선다형에서 하나 고르시오.

ぶんぽう

＿＿＿＿のところに何を入れたらよいか。いちばん適当なものを選択肢から一つ選びなさい。

What is the right word to fit in the underlined space? Choose one correct word out of the multiple options.

＿＿＿＿ 中应该填入什么? 从选项中选择最恰当的。

＿＿＿＿ 에 무엇을 넣으면 좋은지. 가장 적당한 것을 선다형에서 하나 고르시오.

251 展覧会に行った。<u>偉大</u>な芸術家の作品が並んでいた。

1　いだい
2　えだい
3　ぼうだい
4　そうだい

1 □□□

252 音を立ててスープを飲んだら、娘に＿＿＿＿だと言われた。

1　げひん
2　みにくい
3　きよう
4　ひきょう

1 □□□

253 弱い者いじめは＿＿＿＿難い行為だ。

1　許さ
2　許し
3　許す
4　許せ

1 □□□

251 **1** 展覧会に行った。**偉大な**芸術家の作品が並んでいた。
I went to an exhibition. There were many paintings by great artists.
去了展览会。摆放着伟大艺术家的作品。/ 전시회에 갔다. 위대한 예술가의 작품이 줄지어 있었다.

もじ

展 **テン**：展覧会・発展する

偉 **イ**：偉大な

えら (-い)：偉い

芸 **ゲイ**：芸術・芸術家・芸能・芸能人

252 **1** 音を立ててスープを飲んだら、娘に**下品**だと言われた。
My daughter told me I was rude when I slurped my soup.
喝汤的时候发出了声音，结果女儿说我不雅。
소리를 내면서 수프를 마시면 품위 없다고, 딸이 말했다.

ごい

下品な	(げひん)	vulgar / 低俗的 / 품위 없음 ⇔ 上品な
醜い	(みにくい)	ugly, unattractive / 丑陋的、难看的 / 흉함
器用な	(きような)	skillful / 灵巧的、巧妙的 / 손재주가 있음
ひきょうな		unfair / 卑怯的、胆怯的 / 비겁함

253 **2** 弱い者いじめは**許し**難い行為だ。
Bullying is an unforgivable act.
欺负弱者是无法容许的行为。/ 약한 자를 괴롭히는 것은 용서하기 어려운 행위이다.

ぶんぽう

V難い　＊Vます難い　（＝Vすることが難しい／できない）

- 死んだ人間が生き返るなんて**信じ難い**。
- この時計は壊れているけれど**捨て難い**。

254 そういう行動は誤解を<u>まねく</u>。

1　省く
2　招く
3　傾く
4　抱く

もじ

255 ゲームに熱中していたら、＿＿＿＿＿朝になっていた。

1　いずれ
2　いまだに
3　たったいま
4　いつのまにか

ごい

256 お客様の個人情報は、＿＿＿＿＿かねます。

1　お教え
2　お教えし
3　お教えて
4　お教えに

ぶんぽう

2 □□□

254 **2** そういう行動(こうどう)は誤解(ごかい)を**招く(まね)**。

That kind of behavior leads to misunderstandings.
这种行为会惹来误解的。 / 그런 행동은 오해를 초래한다 .

もじ

誤 ゴ：誤解(ごかい)する
あやま（-る）：誤(あやま)り

招 ショウ：招待(しょうたい)する
まね（-く）：招(まね)く

傾 ケイ：傾向(けいこう)
かたむ（-く）：傾(かたむ)く

255 **4** ゲームに熱中(ねっちゅう)していたら、**いつの間(ま)にか**朝(あさ)になっていた。

I was so into playing the game that, before I knew it, it was already morning.
玩游戏玩得入迷了, 不知不觉就到早晨了。 / 게임에 열중하고 있었더니 , 어느새 아침이 되어 있었다 .

ごい

いつの間に(か) (いつのまにか) before one knows it / 不知不觉 / 어느새

いずれ someday, sooner or later / 总归、不久 / 머지않아 , 결국엔

◆**いずれ**わかるでしょう。

未だに (いまだに) even now, until this day / 仍然、还 / 아직도

◆**未(いま)だに**わからない。

たった今 (たったいま) just now, a moment ago / 刚刚、立即 / 방금

◆**たった今(いま)**、わかった。

256 **2** お客様(きゃくさま)の個人情報(こじんじょうほう)は、**お教(おし)えし**かねます。

We are unable to divulge personal information about our customers.
客户的个人信息，无法告诉您。 / 손님의 개인정보는 가르쳐 드릴 수 없습니다 .

ぶんぽう

Vかねる be unable to ~ / 很难 V、不能 V / ~할 수 없다

＊V~~ます~~かねる（＝Vることができない）

＊書(か)き言葉(ことば)や丁寧(ていねい)な表現(ひょうげん)として使(つか)う

◆申(もう)し訳(わけ)ございません。私(わたくし)どもにはわかり**かねます**。

◆あなたの言動(げんどう)は理解(りかい)し**かねます**。

257 <u>お互い</u>に頑張って目標を達成しよう。

1　おかだい
2　おがない
3　おながい
4　おたがい

3 □□□

258 買い物をしすぎて、帰りのバス＿＿＿＿しか残っていない。

1　金
2　代
3　費
4　料

3 □□□

259 初めて来た場所なのに、まるで来たことがある＿＿＿＿なつかしく思った。

1　とおりに
2　ことなく
3　ばかりか
4　かのように

3 □□□

もじ

257 **4** **お互い**に頑張って目標を達成しよう。
Let's each do our best and achieve our goals.
我们共同努力完成目标吧。 / 서로 열심히 해서 목표를 달성하자 .

互 ゴ：相互
たが（-い）：互いに

張 チョウ：出張・緊張する
は（-る）：張る・頑張る

標 ヒョウ：標識・目標・標準

ごい

258 **2** 買い物をしすぎて、帰りのバス**代**しか残っていない。
I bought so much, all I have left is the bus fare to get home.
买东西买多了, 只剩下回家的车票钱了。
쇼핑을 너무 많이 해서 , 돌아갈 버스비 밖에 남아 있지 않다 .

～代（～だい） ◆**電気代** electric bill, electric utility expenses / 电费 / 전기 요금
～費（～ひ） ◆**食費** food expences / 伙食费 / 식비
◆**交通費** transportation expenses / 交通费 / 교통비
◆**学費** school expenses / 学费 / 학비
～料（～りょう） ◆**入場料** entrance fee / 入场费 / 입장료
◆**送料** postage, freight (rates) / 运费、邮费 / 배송료

ぶんぽう

259 **4** 初めて来た場所なのに、まるで来たことがある**かのように**懐かしく思った。
Although I had never been there before, it felt as if I had.
虽然是第一次来，简直像是以前来过似的，感觉很亲切。
처음 온 장소인데 , 마치 온 적이 있는 것처럼 그립게 생각되었다 .

～かのようだ feel as if ~ / 简直像～ / ～인 듯하다

＊「～」の部分は事実ではないこと

◆事件の後、犯人は何もなかった**かのように**平然としていた。
◆彼女は青ざめて、まるでゆうれいでも見た**かのようだった**。

260 両替機は、そこの<u>すみ</u>にあります。

1　底
2　照
3　隅
4　角

4□□□

261 株(かぶ)は、＿＿＿＿上がったり下がったりすることがある。

1　あっというまに
2　もうすこしで
3　まっさきに
4　もしかすると

4□□□

262 彼女は恐怖＿＿＿＿、髪が一瞬(いっしゅん)にして真っ白になってしまった。

1　のかぎり
2　ことから
3　のあまり
4　どころか

4□□□

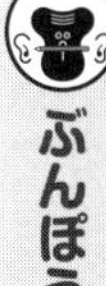

もじ

260 **3** 両替機は、そこの**隅**にあります。

The money-changing machine is over in that corner.
兑换机在那个角落里。 / 환전기는 그곳 모퉁이에 있습니다 .

隅 すみ：隅
底 テイ：徹底的な
そこ：底
照 ショウ：対照的な
て (-る /-らす)：照る・照らす

ごい

261 **1** 株は、**あっという間に**上がったり下がったりすることがある。

Stocks rise and fall before you know it.
股票一转眼就高高低低的。 / 주식은 순식간에 오르거나 내리거나 하는 경우가 있다 .

あっという間に (あっというまに) in a flash / 一转眼 / 순식간에

もう少しで (もうすこしで) just a little more / 再过一会儿 / 머지않아

真っ先に (まっさきに) in the front, foremost, ahead of all other things / 最先、首先 / 가장 먼저

もしかすると～かもしれない it may be that ~, perhaps ~ / 或许 ~、可能 ~ / 어쩌면 ~할 지도 모른다

ぶんぽう

262 **3** 彼女は恐怖**のあまり**、髪が一瞬にして真っ白になってしまった。

She was so terrified that her hair suddenly turned white.
由于太惊恐，她的头发在瞬间变得雪白。
그녀는 공포에 질린 나머지 머리카락이 한순간에 하얗게 돼버렸다 .

Nのあまり **Vるあまり** as a result of feeling too ~ / 由于过于～，所以 / ～한 나머지
(＝とても～ので)

◆彼女は悲し**みのあまり**病気になってしまった。
◆愛する**あまり**、彼は恋人を束縛した。
◆驚き**のあまり**　◆緊張**のあまり**

263 航空事故の大半は離陸と着陸の際に起こるし、耳が痛くなるし、とても「快適な空の旅」とは言えない。

もじ

1　こうこう
2　こうくう
3　くうこう
4　くうくう

5 □□□

264 地球温暖化によって、さまざまな＿＿＿＿が起きている。

ごい

1　現象
2　現状
3　現実
4　現在

5 □□□

265 A「そんなひどいこと、言うかしら。」
B「あいつなら＿＿＿＿かねないよ。」

ぶんぽう

1　言い
2　言う
3　言え
4　言って

5 □□□

こたえ

もじ

263 **2** 航空事故の大半は離陸と着陸の際に起こるし、耳が痛くなるし、とても「快適な空の旅」とは言えない。

The majority of airplane accidents occur during takeoff and landing, flying hurts my ears, and I cannot say it is a particularly "pleasant journey through the air."
航空事故有一大半都发生在起飞和着陆时，而且耳朵也会痛，谈不上是 "愉快的航空之旅"。
항공 사고의 대부분은 이륙과 착륙 시에 발생하고 , 귀가 아파지고 , 도저히「편안한 하늘의 여행」이라고 말할 수 없다 .

航　**コウ**：航空便（こうくうびん）・航空会社（こうくうがいしゃ）
陸　**リク**：陸（りく）・陸地（りくち）・大陸（たいりく）・離陸（りりく）・着陸（ちゃくりく）
適　**テキ**：適切な（てきせつ）・快適な（かいてき）

ごい

264 **1** 地球温暖化によって、さまざまな**現象**が起きている。

Various phenomena related to global warming have been observed.
由于地球温室效应，发生着各种现象。 / 지구 온난화로 인해 다양한 현상이 일어나고 있다 .

現象（げんしょう） phenomenon / 现象 / 현상　◆ 自然**現象**（しぜんげんしょう）
現状（げんじょう） existing situation / 现状 / 현재 상태
現実（げんじつ） reality / 现实 / 현실　◆ 理想と**現実**（りそう・げんじつ）
現在（げんざい） present (time) / 现在 / 현재

ぶんぽう

265 **1** A「そんなひどいこと、言うかしら。」
B「あいつなら**言い**かねないよ。」

A: "Would he really say something so terrible?" B: "It would not be unlikely for him."
A："这么过分的话怎么说得出口？" B："如果是那家伙，很有可能的。"
A「그렇게 심한 말을 말할까 .」B「그 녀석이라면 말할지도몰라 .」

Vかねない　could ～ / 有可能～ / ～할지도 모른다

＊V~~ます~~かねない　＊悪いことが起こる可能性がある

◆場所や立場を考えて発言をしないと誤解を<u>招き**かねない**</u>。

◆保護しないと、この種は<u>絶滅し**かねない**</u>。

266 ゴミの処理や収集の規則は地域によって異なる。

1　ことなる
2　こそなる
3　とこなる
4　そこなる

もじ

6 

267 この会場には、＿＿＿＿数えたところ 100 人はいるようだ。

1　どっと
2　ざっと
3　すっと
4　ずっと

ごい

6 

268 したくないことも、仕事だから＿＿＿＿。

1　さざるをえない
2　しざるをえない
3　すざるをえない
4　せざるをえない

ぶんぽう

6 

こたえ

もじ

266 **1** ゴミの処理や収集の規則は地域によって**異なる**。

Garbage collection regulations differ depending on the area.
垃圾处理和收集的规则因地而异。 / 쓰레기 처리 및 수집 규칙은 지역에 따라 다르다.

処 **ショ**：処理する・処置
収 **シュウ**：収集・収入・吸収・回収する
おさ (-まる/-める)：収まる・収める
異 **イ**：異常な
こと (-なる)：異なる

ごい

267 **2** この会場には、**ざっと**数えたところ 100 人はいるようだ。

In this hall, there are roughly 100 people.
大致数了数，这个会场里好像有 100 人。 / 이 회장에는 대충 세어 보니 100 명은 있는 것 같다.

ざっと ◆**ざっと**掃除する do a quick job of cleaning / 粗略地扫了扫 / 대충 청소하다
どっと ◆客が**どっと**来る have a flood of customers / 客人一齐来了 / 손님이 우르르 밀려오다
すっと ◆**すっと**立ち上がる immediately stand up / 快速站起身 / 훌쩍 일어서다
ずっと ◆**ずっと**立っている be standing for a long time / 一直站着 / 계속 서 있다
◆**ずっと**大きい much bigger / 大得多 / 훨씬 크다

ぶんぽう

268 **4** したくないことも、仕事だから**せざるを得ない**。

I have no choice but to do it because it is my job.
就算是不想干的事，因为是工作，也不得不干。 / 하고 싶지 않은 일도 일이니까 하지 않을 수 없다.

Vざるを得ない no choice but ~ / 不得不 V、只能 V / ～하지 않을 수 없다
(＝Vないわけにはいかない)

◆今回の政策は失敗だったと**言わざるを得ない**。
◆規則には**従わざるを得ない**。

269 水は零度Cで<u>こおり</u>になります。

1　永
2　泳
3　凍
4　氷

7 □□□

270 東京駅で＿＿＿＿＿高校時代の友人に会った。

1　思いつかず
2　思い切り
3　思いがけず
4　思い切って

7 □□□

271 不本意＿＿＿＿＿、進学をあきらめた。

1　にはんして
2　ながら
3　にかかわらず
4　ものの

7 □□□

もじ

269 **4** 水は零度Cで**氷**になります。
Water freezes at zero degrees centigrade.
水到了零度就结成冰。 / 물은 영도에서 얼음이 됩니다.

- 零 **レイ**：零・零点・零度
- 氷 **こおり**：氷
- 凍 **トウ**：冷凍
  こお(-る)：凍る
- 永 **エイ**：永久

ごい

270 **3** 東京駅で**思いがけず**高校時代の友人に会った。
I unexpectedly met a senior high school friend in Tokyo station.
在东京站意外地遇上了高中时期的朋友。 / 도쿄역에서 뜻하지 않게 고등학교 때 친구를 만났다.

- **思いがけず**（おもいがけず） unexpectedly / 没想到 / 뜻하지 않게 （＝思いがけなく）
- **思い(っ)きり**（おもいきり／おもいっきり） to the best of one's ability / 决意、猛烈地 / 마음껏
- **思い切って**（おもいきって） resolutely, boldly / 下决心 / 과감히

＊思わず unconsciously / 不由得 / 무심코

ぶんぽう

271 **2** 不本意**ながら**、進学を諦めた。 **OK** 不本意なものの
Against my will, I gave up on continuing my education.
尽管并非本意，还是放弃了升学。 / 본의가 아니지만 진학을 포기했다.

～ながら **～ながらも** despite ~ / 尽管 ~、虽然 ~ / ～이지만
（＝～だが） ＊逆接

- ◆残念**ながら**、今日の飲み会は用事があって出られません。
- ◆「狭い**ながらも**楽しい我が家」というのは本当です。

272 知識を詰め込む教育と考える力をつける教育とを比較する。

1　うめこむ
2　つめこむ
3　ためこむ
4　きめこむ

8 □□□

273 僕はお酒が入ると、自分の感情を＿＿＿＿＿できなくなる。

1　コントロール
2　チェンジ
3　キャンセル
4　キャッチ

8 □□□

274 このアニメは子供に人気がある＿＿＿＿＿、大人からは批判されている。

1　一方で
2　ものを
3　ばかりに
4　だけに

8 □□□

272 **2** 知識を**詰め込む**教育と考える力をつける教育とを比較する。

I will compare forms of education that cram knowledge into students and those that develop the ability to think.
比较填鸭式教育和培养思考能力的教育。
지식을 채워 넣는 교육과 생각하는 힘을 키우는 교육을 비교한다 .

もじ

識 **シキ**：知識・意識・常識

詰 **つ (-まる /-める)**：詰まる・詰める・缶詰

較 **カク**：比較する

273 **1** 僕はお酒が入ると、自分の感情を**コントロール**できなくなる。

Once I start drinking, I am unable to control my emotions.
我一旦喝了酒，就无法控制自己的感情。
나는 술이 들어 가면 자신의 감정을 콘트롤할 수 없어진다 .

ごい

コントロール	control / 支配、操控 / 콘트롤
チェンジ	change / 交换、兑换 / 교환
キャンセル	cancel / 取消、作废 / 예약 취소
	◆ **キャンセル**待ち be on a waiting list / 等着取消 / 예약 취소 대기
キャッチ	catch / 捕捉、抓住 / 잡다 . 받다

274 **1** このアニメは子供に人気がある**一方で**、大人からは批判されている。

While this cartoon is popular among young kids, it is criticized by adults.
这个动画片受到了孩子们的喜欢，但另一方面，遭到了大人的批判。
이 애니메이션은 아이들에게 인기가 있는 한편 , 어른들로 부터는 비판받고 있다 .

ぶんぽう

a 一方で b while a is ~, b is ~ / a 另一方面 b / a 한편으로 b ＊二つの別の面がある

◆その男は周りの評判がいい**一方で**、家族とはうまくいっていなかったようだ。

◆この人は勤勉である**一方で**、指導力がない。

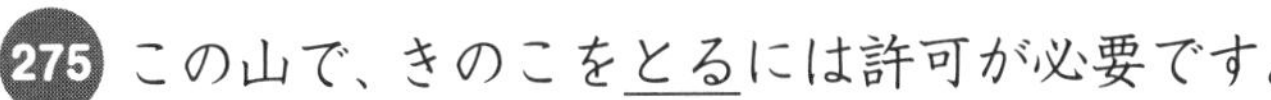

275 この山で、きのこを<u>とる</u>には許可が必要です。

1　折る
2　捕る
3　得る
4　採る

もじ

9 □□□

276 足に、子供のころけがをした＿＿＿＿＿が残っている。

1　かたち
2　あと
3　しるし
4　ず

ごい

9 □□□

277 引き受けた＿＿＿＿＿、大変でも最後までやり遂げます。

1　からして
2　以上は
3　からといって
4　こそは

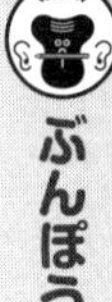

ぶんぽう

9 □□□

もじ

275 **4** この山(やま)で、きのこを**採(と)る**には許可(きょか)が必要(ひつよう)です。

You need permission to pick mushrooms on this mountain.
要在这座山上采蘑菇的话需要获得许可。 / 이 산에서 버섯을 채취하려면 허가가 필요합니다.

[許] **キョ**：許可(きょか)する
ゆる (-す)：許(ゆる)す

[採] **サイ**：採点(さいてん)する・採集(さいしゅう)する
と (-る)：採(と)る

[得] **トク**：得意(とくい)な
う (-る)：あり得(う)る　**え** (-る)：得(え)る・あり得(え)ない

ごい

276 **2** 足(あし)に、子供(こども)の頃(ころ)けがをした**あと**が残(のこ)っている。

I have a scar on my leg from when I was a child.
脚上留有小时候受伤的痕迹。 / 다리에 어린 시절 다친 흉이 남아 있다.

あと track, mark / 痕迹 / 흉　◆**足(あし)あと** footprint / 足迹 / 발자국

形 (かたち) shape, form / 形式 / 형태

印 (しるし) mark / 记号 / 표시

図 (ず) diagram, figure / 图 / 그림

◆**天気図(てんきず)** weather chart / 气象图 / 기상도

ぶんぽう

277 **2** 引(ひ)き受(う)けた**以上(いじょう)は**、大変(たいへん)でも最後(さいご)までやり遂(と)げます。

As I take on the job, I will see things through to the end no matter what.
既然答应了，就算再困难，也要坚持到最后。 / 인수한 이상은, 힘들더라도 마지막까지 해 냅니다.

V以上(は) **V上は** (＝Vからには)

◆仕事(しごと)として協力(きょうりょく)する**以上(いじょう)は**、報酬(ほうしゅう)も頂(いただ)きます。

◆一緒(いっしょ)に住(す)む**上(うえ)は**、ルールを守(まも)ってほしい。

278 <u>宇宙</u>飛行士になりたい。

1 いちゅう
2 ふちゅう
3 うちゅう
4 むちゅう

もじ

10 □□□

279 先日の地震で家が＿＿＿＿＿、住むことができない。

1 かたむいて
2 かたづいて
3 かたよって
4 かたまって

ごい

10 □□□

280 西洋医学＿＿＿＿＿、東洋医学は不可解かもしれない。

1 を問わず
2 にかけては
3 からみると
4 をめぐって

ぶんぽう

10 □□□

こたえ

もじ

278 **3** <u>宇宙</u>飛行士になりたい。

I want to be an astronaut. / 想成为宇航员。 / 우주 비행사가 되고 싶다 .

宇	**ウ**：宇宙
宙	**チュウ**：宇宙
士	**シ**：兵士・学士・修士・飛行士・博士　＊博士

ごい

279 **1** 先日の地震で家が**<u>傾いて</u>**、住むことができない。

I can no longer live in my house because it has been leaning to one side since the earthquake that occurred the other day.

由于前几天的地震 , 房子歪了 , 无法居住。 / 지난 지진으로 집이 기울어져 , 살 수 없다 .

傾く (かたむく) tilt, incline, lean / 倾斜 / 기울다

片付く (かたづく) be tidied up, be settled / 收拾整齐、得到解决 / 정리되다

かたよる
- ケーキが**片寄る** cake leans to one side / 蛋糕塌向了一边 / 케이크가 한쪽으로 치우치다
- **偏った**考え one-sided view / 偏执的想法 / 한쪽으로 기운 생각

固まる (かたまる) harden / 凝固 / 굳어지다

ぶんぽう

280 **3** 西洋医学**<u>から見ると</u>**、東洋医学は不可解かもしれない。

OK 西洋医学から見れば

From the viewpoint of Western medicine, Eastern medicine may be difficult to understand.

从西医的角度看, 东方医学或许不可理解。/ 서양의학에서 보면 동양의학은 불가해할 지도 모른다.

Nから見ると　**Nから見れば**　from the viewpoint of ~ / 从 N 的角度看 / ~의 입장에서 보면

＊人や立場、観点から見ると

- **<u>僕から見ると</u>**、君の不満は幸せ自慢に思える。
- **<u>同性から見れば</u>**嫌なところが、異性には魅力だということもある。

281 高血圧の治療に効く体操があるらしい。

1　じりょう
2　ちりょう
3　ちりゅう
4　じりゅう

もじ

11 □□□

282 ＿＿＿＿お金持ちが幸せとは限らない。

1　あいかわらず
2　さすがに
3　どうしても
4　かならずしも

ごい

11 □□□

283 日程が＿＿＿＿次第、ご連絡申し上げます。

1　決まり
2　決まって
3　決まる
4　決まった

ぶんぽう

11 □□□

こたえ

もじ

281 **2** 高血圧の**治療**に効く体操があるらしい。

Apparently, there is a type of exercise that can be used as a treatment for high blood pressure.
好像有种有助于高血压治疗的体操。 / 고혈압 치료에 듣는 체조가 있다고 한다.

圧 **アツ**：気圧・高血圧・圧力
操 **ソウ**：操作する・体操
療 **リョウ**：医療・治療

ごい

282 **4** **必ずしも**お金持ちが幸せとは限らない。

Rich people are not necessarily happy. / 有钱人未必就幸福 / 반드시 부자가 행복하다고는 할 수 없다.

必ずしも (かならずしも) ◆**必ずしも**～とは限らない
not necessarily ~ / 未必～ / 반드시 ~ 라고는 할 수 없다

相変わらず (あいかわらず) as usual, same as always / 照旧、一如既往 / 여전히

さすが(に) as one would expect, befitting / 不愧是、到底是 / 과연

どうしても ◆**どうしても**できない問題 problem that cannot be solved (no matter what) / 无论如何也不会做的题 / 아무리 해도 어쩔 수 없는 문제

◆**どうしても**行きたい want to go no matter what / 无论如何想去 / 어떤 일이 있어도 가고 싶다

ぶんぽう

283 **1** 日程が**決まり**次第、ご連絡申し上げます。

As soon as the date is fixed, we will let you know.
日程一定下来，马上跟您联系。 / 일정이 정해지는 대로 연락을 드리겠습니다.

V次第 ＊V~~ます~~次第 （＝Vたらすぐに） ＊硬い表現

◆娘はただ今出かけておりますが、**帰り次第**お電話させます。

◆原因が**わかり次第**、ご報告いたします。

284 今日は、接続詞と<u>ふくし</u>を勉強した。

1 幅詞
2 福詞
3 副詞
4 復詞

12 □□□

285 その計画を＿＿＿＿に移す前に、もう一度よく考えたほうがいい。

1 実現
2 実行
3 実際
4 実習

12 □□□

286 父は毎日、夜が明けるか明けないか＿＿＿＿、家を出る。

1 のように
2 をとわず
3 のうちに
4 をぬきに

12 □□□

もじ

284 **3** 今日は、接続詞と**副詞**を勉強した。

I studied conjunctions and adverbs today.
今天学了接续词和副词。 / 오늘은 , 접속사와 부사를 공부했다 .

詞	シ	: 名詞・動詞・形容詞・疑問詞・接続詞
副	フク	: 副社長・副詞
幅	はば	: 幅・大幅な
福	フク	: 幸福な

ごい

285 **2** その計画を**実行**に移す前に、もう一度よく考えたほうがいい。

You should think that plan over before you actually put it into action.
那计划在实际实施前 , 最好再好好考虑一次。
그 계획을 실행에 옮기기 전에 다시 한 번 잘 생각하는 편이 좋다 .

実行	(じっこう) practice, action / 实行 / 실행
実現	(じつげん) implementation, realization / 实现 / 실현
実際(に)	(じっさい/じっさいに) actually / 实际 / 실제로
実習	(じっしゅう) practical training / 实习 / 실습

ぶんぽう

286 **3** 父は毎日、夜が明けるか明けないか**のうちに**、家を出る。

My father leaves home around dawn.
每天爸爸天刚亮就出家门。 / 아버지는 매일 , 먼동이 틀 때쯤에 집을 나간다 .

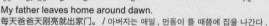

VるかVないかのうちに just as ~ / 刚 V 就 ~ / V 할가 V 하지 않는 사이에

- 店が**開くか**開か**ないかのうちに**、大勢の客が押し寄せた。
- 問題を読み終**わるか**終わら**ないかのうちに**、答えがわかった。

287 欧州旅行で建築物として価値のある建物をたくさん見たい。

1　おうしゅう
2　くうしゅう
3　こうしゅう
4　ようしゅう

13 □□□

もじ

288 時間がないので、詳しい説明は＿＿＿＿＿。

1　はぶきます
2　うしないます
3　はずします
4　なやみます

13 □□□

ごい

289 医療や年金など、国民の生活を支える制度が崩壊(ほうかい)しつつ＿＿＿＿＿。

1　ある
2　ない
3　にある
4　にない

13 □□□

ぶんぽう

こたえ

もじ

287 **1** 欧州旅行で建築物として価値のある建物をたくさん見たい。

On my trip to Europe, I would like to see a lot of buildings that have architectural value.
去欧洲旅行看了很多作为建筑物很有价值的建筑。
유럽 여행에서 , 건축물로서 가치 있는 건물을 많이 보고 싶다 .

欧 **オウ**：欧州・欧米
築 **チク**：建築・新築・築〜年
価 **カ**：高価な・価値・物価・価格

ごい

288 **1** 時間がないので、詳しい説明は**省きます**。

There is no time, so I will leave out the details.
没有时间了, 所以省略详细说明。 / 시간이 없으므로 , 자세한 설명은 생략합니다 .

省く	(はぶく)	delete, omit / 省略 / 생략하다	◆むだを省く
失う	(うしなう)	lose / 失去、丧失 / 상실하다	◆財産を失う
外す	(はずす)	remove / 摘下、解开 / 제외하다 . 풀다	◆ボタンを外す
悩む	(なやむ)	worry (about something) / 烦恼 / 고민하다	＊悩み

ぶんぽう

289 **1** 医療や年金など、国民の生活を支える制度が崩壊しつつ**ある**。

The medical and pension systems, which are crucial to our life, are about to fall apart.
医疗及年金等支撑国民生活的制度正在崩溃。
의료나 연금등 , 국민의 생활을 지탱하는 제도가 점점 붕괴하고 있다 .

Vつつある　be just about to V / 正在 V / 점점 V 하고 있다

＊V~~ます~~つつある

◆先住民の文化が忘れられ**つつある**。

◆台風による被害は広まり**つつある**。

290 <u>きしょう</u>庁は自然現象の観測をする。

1　気像
2　気性
3　気象
4　気相

14 □□□

291 今年になって＿＿＿＿物価が上がり、生活がよりきびしくなった。

1　いちだんと
2　いったん
3　いっそうに
4　いちおう

14 □□□

292 地球温暖化は進む＿＿＿＿。

1　かねない
2　相違ない
3　をえない
4　一方だ

14 □□□

こたえ

290　**3**　**気象**庁は自然現象の観測をする。
The Meteorological Agency observes natural phenomena.
气象厅观测自然现象。 / 기상청은 자연 현상의 관찰을 한다.

もじ

象　**ショウ**：現象・気象　**ゾウ**：象
庁　**チョウ**：気象庁・官庁
像　**ゾウ**：像・想像する
相　**ソウ**：相談する・相続する　**ショウ**：首相
あい：相手　＊相撲

291　**1**　今年になって**一段と**物価が上がり、生活がより厳しくなった。
OK 一層
The cost of living has gone up again since the year started, so life has become harder.
到了今年，物价进一步上涨，生活更艰难了。
올해 들어 훨씬 물가가 올라, 생활이 더 어려워졌다.

ごい

一段と	(いちだんと)	even more / 更加 / 훨씬
いったん		① once ② for a moment / 一旦、既然、姑且 / 한번 . 잠시
一層	(いっそう)	still more, all the more / 越发、更加 / 한층 더
一応	(いちおう)	more or less, pretty much / 暂且、大致 / 우선은

292　**4**　地球温暖化は進む**一方だ**。
Global warming is increasing more and more.
地球温室效应越来越严重。 / 지구 온난화는 점점 진행되고 있다.

ぶんぽう

Vる一方だ　get -er and -er / 越来越 V / (오로지) ～할 뿐이다
＊よくないことが多い

◆失業者は**増える一方だ**。
◆この川の水質は**悪くなる一方だ**。

言わない！

293 <u>法律</u>の文章は複雑で、一般の人にはわかりにくい。

1　ほりつ
2　ほうりち
3　ほうりつ
4　ほりち

15 □□□

294 友人のお見舞いに行ったが、＿＿＿＿が悪く、検査中で病室にいなかった。

1　リズム
2　テンポ
3　ムード
4　タイミング

15 □□□

295 消費者の立場＿＿＿＿、価格は安ければ安いほどいいに決まっている。

1　からして
2　からいえば
3　からには
4　からといって

15 □□□

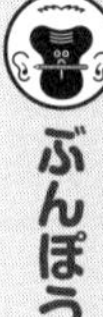

もじ

293 **3** **法律**の文章は複雑で、一般の人にはわかりにくい。

Legal terms are too complex for ordinary people to understand.
法律的文章很复杂，一般人不容易懂。/ 법률의 문장은 복잡해서，일반인에게는 이해하기 어렵다.

律 リツ：法律・規律
複 フク：複雑な・複数
般 ハン：一般

ごい

294 **4** 友人のお見舞いに行ったが、**タイミング**が悪く、検査中で病室にいなかった。

I went to see a friend of mine in the hospital, but unfortunately he had left his room to go for some tests.
去看望生病的朋友，但去的时候不凑巧，他正在做检查没在病房。
친구의 문병을 갔지만 타이밍이 나빠 검사중이어 병실에 없었다.

タイミング	timing / 时机 / 타이밍	
リズム	rhythm / 节奏、韵律 / 리듬	◆リズムに乗る
テンポ	tempo / 节奏、进度 / 진행의 속도	◆テンポを合わせる
ムード	atmosphere, mood / 氛围、心情 / 분위기	

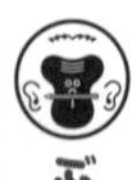

ぶんぽう

295 **2** 消費者の立場**から言えば**、価格は安ければ安いほどいいに決まっている。

From the standpoint of the consumer, it is definitely better that prices are as cheap as possible.
从消费者的角度说，价格当然是越便宜越好。
소비자의 입장에서 말하면 가격은 싸면 쌀수록 좋은것이다.

Nから言えば **Nから言うと** from the standpoint of ~ / 从N的角度说 / ~의 입장에서 말하면

＊ある立場や考え方から言えば

◆**利用者の側から言えば**、スーパーの営業時間は長いほうがいい。

296 申込書は例を参考に記入し、<u>封筒</u>に入れて担当者に渡して下さい。

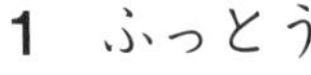
1　ふっとう

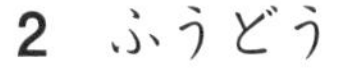
2　ふうどう

3　ふとう

4　ふうとう

16 □□□

297 田中さんに＿＿＿＿＿＿この書類を届けてください。

1　至急（しきゅう）

2　特急

3　急速

4　急激

16 □□□

298 この値段＿＿＿＿＿＿、本物の毛皮ではないだろう。

1　にしては

2　からすると

3　だけあって

4　にかけては

16 □□□

もじ

296 **4** 申込書は例を参考に記入し、**封筒**に入れて担当者に渡して下さい。
Please fill out the form referring to the example, put it in an envelope and submit it to the responsible party.
申请表请参照范例填写，装入信封后再交给负责人。
신청서는 예를 참고로 해서 기재하고 , 봉투에 넣어 담당자에게 전달하십시오 .

封 **フウ**：封筒・開封する
筒 **トウ**：水筒
担 **タン**：担当する・担任
かつ (-ぐ)：担ぐ

ごい

297 **1** 田中さんに**至急**この書類を届けてください。
Please deliver these papers to Mr. Tanaka as soon as possible.
请把这资料火速送给田中。 / 다나카 씨에게 급히 서둘러서 이 서류를 전해 주십시오 .

至急 （しきゅう） immediately / 火速 / 급히 서두름
◆大至急来てください。

特急 （とっきゅう） limited express, special express / 特快 / 특급 ◆特急電車

急速な （きゅうそくな） fast, rapid / 急速的 / 급속함 ◆急速に冷やす

急激な （きゅうげきな） sudden, sharp / 急剧的 / 급격함 ◆急激な変化

ぶんぽう

298 **2** この値段**からすると**、本物の毛皮ではないだろう。
Considering the price tag, this fur cannot be real.
从这个价格来看，应该不是真的皮草。 / 이 가격으로 판단하면 진짜 모피는 아닐 것이다 .

Nからすると **Nからすれば** considering ~ / 从 N 来看 / ～으로 판단하면
（＝Nから判断すると）

◆服装**からすると**、あの人はサラリーマンではなさそうだ。
◆あの笑顔**からすると**、合格したのでしょう。
◆状況**からすれば**、彼が犯人であることは間違いないだろう。

299 空がくもり、波も高くなってきた。

1　曇り
2　雲り
3　灯り
4　祈り

17 □□□

300 家賃の＿＿＿＿については、直接大家さんに持っていくように言われている。

1　ひきだし
2　ふりこみ
3　かしだし
4　しはらい

17 □□□

301 最近、外食が多くて栄養がかたより＿＿＿＿。

1　げだ
2　っぽい
3　一方だ
4　がちだ

17 □□□

こたえ

299 **1** 空が**曇り**、波も高くなってきた。

The sky is getting dark and the waves are getting high.
天阴了，波浪也大了起来。 / 하늘이 흐려지고 , 파도도 높아졌다 .

もじ

曇	くも (-る)：曇る
雲	くも：雲
灯	トウ：灯油・灯台・電灯 ひ：灯
祈	いの (-る)：祈る

300 **4** 家賃の**支払い**については、直接大家さんに持っていくように言われている。

I have been told to pay my rent directly to the landlord.
关于房租的支付 , 说是要直接给房东送去。
임대료 지불에 대해서는 , 직접 집주인에게 가지고 가라고 말을 들었다 .

ごい

支払い	(しはらい)	payment / 支付 / 지불
引き出し	(ひきだし)	withdrawal / 取出 / 인출
振り込み	(ふりこみ)	bank transfer / 汇款 / 이체 송금
貸し出し	(かしだし)	loan, lending / 出借 / 대출　◆本の**貸し出し**

301 **4** 最近、外食が多くて栄養が偏り**がちだ**。

I have been eating out recently so my diet tends to be not very well-balanced.
最近在外面吃饭较多，营养容易不均衡。 / 최근 , 외식이 많아 영양이 편중되기 쉽다 .

ぶんぽう

V/N がちだ　tend to ~ / 容易 V / N、常常 V / N / ~하기 쉽다 (경향이 있다)

＊V~~ます~~がち　＊そういう（よくない）傾向がある

◆幼いころ病気**がちだった**ので、家で本ばかり読んでいた。

◆あの学生は最近休み**がちだ**。

302 A「裏口の<u>戸</u>を閉め忘れたから、閉めといて。」
B「了解。」

1　こ
2　と
3　ど
4　ご

18 □□□

303 彼はオリンピックが終わった後、選手を＿＿＿＿コーチになった。

1　退職して
2　引退して
3　退院して
4　就職して

18 □□□

304 ＿＿＿＿以来、国へ帰っていない。

1　来日の
2　日本へ来て
3　日本へ来る
4　日本へ来た

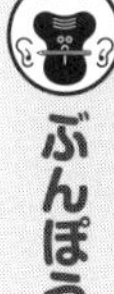

18 □□□

302 **2** A「裏口の**戸**を閉め忘れたから、閉めといて。」
B「了解。」

A: "I forgot to close the back door, so close it please." B: "Got it."
A :"忘记关后面的门了, 你关一下吧。" B :"知道了。"
A「뒷문을 닫는 것을 잊었으니까 , 닫아 둘래 ?」B「알았어」

もじ

裏 **うら**：裏・裏口・裏返す
戸 **と**：戸・雨戸
コ：一戸建て
了 **リョウ**：了解する・完了する・修了する・終了する⇔開始する

303 **2** 彼はオリンピックが終わった後、選手を**引退して**コーチになった。

He retired after the Olympics and became a coach.
奥运会结束后 , 他作为选手退役了 , 成了教练。
그는 올림픽이 끝난 뒤 선수를 은퇴하고 코치가 되었다 .

ごい

引退する（いんたいする） retire / 引退 / 은퇴하다
退職する（たいしょくする） retire from work, quit one's job / 退职 / 퇴직하다
退院する（たいいんする） be discharged from hospital / 出院 / 퇴원하다
就職する（しゅうしょくする） get a job / 就业 / 취업하다

304 **2** **日本へ来て**以来、国へ帰っていない。 **OK** 来日以来

Since I came to Japan, I have not gone back to my home country.
来日本之后，从未回国。 / 일본에 온 이래 , 고국에 돌아가지 않았다 .

ぶんぽう

Vて以来 **N以来** （＝～からずっと）

- 彼女は溺れかけ**て以来**海に行かなくなった。
- 父は退職**以来**、ジョギングを欠かさない。

305 私は職業くんれんの指導員として、農業を教えています。

1 軍練
2 君練
3 訓練
4 運練

19 □□□

もじ

306 タバコをやめろと＿＿＿＿ほど注意しているのに、息子はまだやめない。

1 だらしない
2 くどい
3 ばからしい
4 めんどうくさい

19 □□□

ごい

307 大いに議論＿＿＿＿ではないか。

1 しあって
2 しあおう
3 しあわない
4 しあうまい

ぶんぽう

19 □□□

こたえ

もじ

305 **3** 私は職業**訓練**の指導員として、農業を教えています。

I teach agriculture as a vocational school instructor.

作为职业训练的指导员，在教农业。 / 직업 훈련 지도원으로서 농업을 가르치고 있습니다.

訓	クン	訓練する・訓読み
練	レン	練習・試練
	ね(-る)	練る
導	ドウ	指導する
軍	グン	軍隊・～軍

ごい

306 **2** タバコをやめろと**くどい**ほど注意しているのに、息子はまだやめない。

I have told my son to quit smoking numerous times but he does not listen.

喋喋不休地提醒儿子该戒烟，可他还是不戒。

담배를 끊으라고 지겨워할 정도로 주의를 시키고 있는데, 아들은 아직 끊지 않는다.

くどい	long-winded (way of saying) / 罗嗦 / 되풀이하여 귀찮다
だらしない	◆**だらしない**生活 lazy life style / 自由散漫的生活 / 어수선한 생활
ばからしい	◆**ばからしい**話 silly talk / 愚蠢的话 / 터무니없는 이야기
面倒くさい	(めんどうくさい) troublesome / 非常麻烦 / 귀찮다

＊日常会話では「めんどくさい」とも言う

ぶんぽう

307 **2** 大いに議論**し合おう**ではないか。

Let us discuss the issue freely.

让咱们激烈地讨论一下吧。 / 대대적으로 토론하지 않겠습니까.(토론하자)

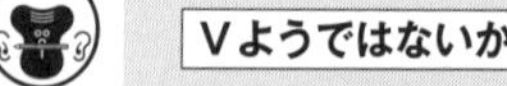

Vようではないか　**Vようではありませんか**

let us ~ / 让我们 V 吧 / ～하지 않겠는가 (하자)

＊「～ましょうよ」の強い言い方　＊「Vようではないか」は男性が使う

◆腹を割って、話し合**おうじゃないか**。

◆もっと人生を楽し**もうではありませんか**。

308 <u>食欲</u>はないが、疲れたから、ちょっと喫茶店で休もう。

1　しょくよく
2　しょくおく
3　しょくゆく
4　しょくいく

もじ

20 □□□

309 この学校では、試験の成績より授業に出席することのほうが＿＿＿＿だとされる。

1　重要
2　重体
3　強化
4　強力

ごい

20 □□□

310 明日の行事が行われるかどうかは、天気＿＿＿＿。

1　に応じる
2　に伴う
3　次第だ
4　限りだ

ぶんぽう

20 □□□

もじ

308 **1** 食欲はないが、疲れたから、ちょっと喫茶店で休もう。

I do not have much of an appetite, but I am going to rest a bit at a coffee shop since I am tired.

没有食欲，但很累，去咖啡店稍微休息一下吧。 / 식욕은 없지만 , 지쳤으니까 , 잠깐 찻집에서 쉬자 .

欲 ヨク：食欲・意欲・欲張り

ほ（-しい）：欲しい

疲 ヒ：疲労

つか（-れる）：疲れる

喫 キツ：喫煙・喫茶店

ごい

309 **1** この学校では、試験の成績より授業に出席することのほうが重要だとされる。

At this school, it is more important to attend classes than to get good marks on tests.

这个学校，上课出勤率比考试成绩受重视。

이 학교에서는 시험 성적보다 수업에 출석하는 쪽을 중요하다고 본다 .

重要な	（じゅうような）	important / 重要的 / 중요하다
重体	（じゅうたい）	serious condition, seriously ill / 病危、垂危 / 중태
強化	（きょうか）	strengthen, fortify / 强化 / 강화
強力な	（きょうりょくな）	powerful, strong / 力气大的、强有力的 / 강력하다

ぶんぽう

310 **3** 明日の行事が行われるかどうかは、天気次第だ。

Whether the event takes place tomorrow or not depends on the weather.

明天是否举办活动，那要看天气了。 / 내일 행사가 이루어질지 어떨지는 날씨에 따라 결정된다 .

N次第だ （＝Nによる）

◆上達するかどうかは、本人の努力次第です。

◆手術するかどうかは検査の結果次第です。

311 上司を<u>敬う</u>。

1　きそう
2　あらそう
3　ととのう
4　うやまう

21 □□□

312 会社に行く途中で、大学時代の友人と＿＿＿＿出会った。

1　ばったり
2　こっそり
3　ぎっしり
4　ぴったり

21 □□□

313 田中さんは経験が＿＿＿＿上に、知識も深い。

1　豊かで
2　豊かだ
3　豊かの
4　豊かな

21 □□□

もじ

311 **4** 上司を**敬う**。

Respect one's superiors. / 尊敬上司。 / 상사를 존경하다 .

司 シ：司会・上司

敬 ケイ：敬語・尊敬する

うやま(-う)：敬う

競 キョウ：競争する・競技　ケイ：競馬

きそ(-う)：競う

ごい

312 **1** 会社に行く途中で、大学時代の友人と**ばったり**出会った。

I bumped into a friend from university on the way to work. / 去公司的途中，和大学时代的朋友突然相遇了。 / 회사에 가는 길에 , 대학 시절의 친구와 우연히 만났다 .

ばったり ◆**ばったり**会う bump into / 突然相遇、偶遇 / 우연히 만나다

こっそり ◆**こっそり**逃げる run away quietly / discreetly / 偷偷溜走 / 몰래 도망치다

ぎっしり ◆箱にりんごが**ぎっしり**入っている。

The box is full of apples. / 箱子里装满了苹果。 / 상자에 사과가 가득 들어있다 .

ぴったり ◆窓を**ぴったり**閉める close the window completely / 把窗户关严实 / 창문을 꼭 닫는다

◆計算が**ぴったり**合う the calculation comes out exactly right / 计算出来分毫不差 / 계산이 딱 맞는다

ぶんぽう

313 **4** 田中さんは経験が**豊かな**上に、知識も深い。

Tanaka-san has a lot of experience on top of having a great deal of knowledge.

田中不仅经验丰富，而且知识渊博。 / 다나카씨는 경험이 풍부한데다가 지식도 깊다 .

a上にb　b on top of a / 不仅 a，而且 b / a 인 데다가 b　（＝a、その上bだ）

◆試験に落ちた**上に**恋人にも振られた。

◆彼はハンサムな**上に**親切だ。

◆あの人は頭がいい**上に**性格もいい。

314 <u>いのち</u>の大切さを学ぶ。

1　谷
2　余
3　令
4　命

22 □□□

315 給料は上がったけれど、なかなか生活は＿＿＿＿なりません。

1　はでに
2　のんきに
3　らくに
4　ゆっくり

22 □□□

316 携帯電話の普及（ふきゅう）＿＿＿＿、利用者のマナーが問題となってきている。

1　とともに
2　一方で
3　ながら
4　あまり

22 □□□

もじ

314 **4** 命(いのち)の大切(たいせつ)さを学(まな)ぶ。

Learn the importance of life. / 学习生命的宝贵。 / 생명의 소중함을 배우다 .

命　**メイ**：生命(せいめい)　**ミョウ**：寿命(じゅみょう)
　いのち：命(いのち)

谷　**たに**：谷(たに)

余　**ヨ**：余計(よけい)な・余分(よぶん)の・余裕(よゆう)
　あま（-る）：余(あま)る

令　**レイ**：命令(めいれい)する

ごい

315 **3** 給料(きゅうりょう)は上(あ)がったけれど、なかなか生活(せいかつ)は**楽(らく)に**なりません。

Although my pay has gone up, I am still having trouble making ends meet.
工资是涨了，可生活还是不轻松。 / 월급은 올랐지만 , 좀처럼 생활은 편해지지 않습니다 .

楽な（らくな）
◆**楽(らく)な**生活(せいかつ) comfortable life / 安乐的生活 / 편안한 생활
◆**楽(らく)に**なる relax / be more comfortable / 变轻松、变舒适 / 편해지다
＊楽(らく)に～する do ～ easily / 轻松地干～ / 쉽게～하다
◆どうぞ**楽(らく)に**してください。

316 **1** 携帯電話(けいたいでんわ)の普及(ふきゅう)**とともに**、利用者(りようしゃ)のマナーが問題(もんだい)となってきている。

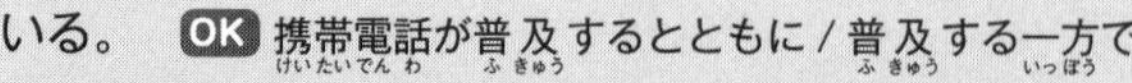

OK 携帯電話(けいたいでんわ)が普及(ふきゅう)するとともに / 普及(ふきゅう)する一方(いっぽう)で

As cell phones have become more established, the manners of those using them have become an issue.
随着手机的普及，使用者的礼节逐渐成了问题。
휴대전화의 보급과 함께 이용자의 매너가 문제가 되어 온것이다 .

aとともにb　（＝aと同時(どうじ)にb／aにつれてb／aに従(したが)ってb／aに伴(ともな)ってb）

◆組織(そしき)が大(おお)きくなる**とともに**管理(かんり)が難(むずか)しくなる。
◆産業(さんぎょう)の不振(ふしん)**とともに**失業者(しつぎょうしゃ)が増加(ぞうか)する。

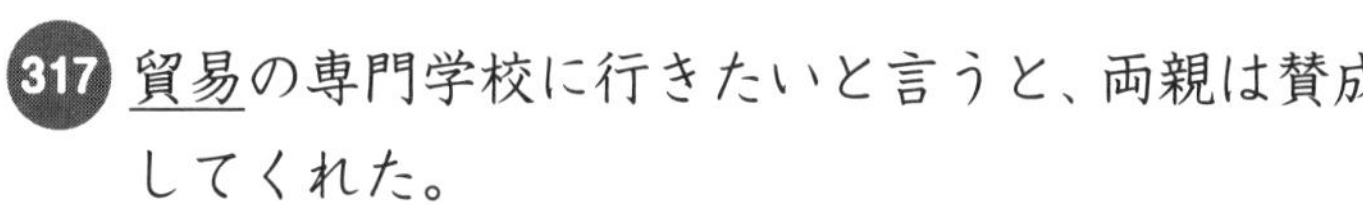
317 <u>貿易</u>の専門学校に行きたいと言うと、両親は賛成

してくれた。

1　ぼえき
2　ぼうえき
3　ぼいき
4　ぼういき

23 □□□

318 私は＿＿＿＿＿から、何をするにも時間がかかる。

1　納得（なっとく）がいかない
2　要領が悪い
3　手間になる
4　まねをする

23 □□□

319 このタイプの電池は、発火の＿＿＿＿＿があります。
回収にご協力ください。

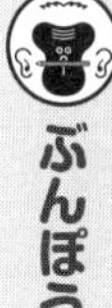

1　がち
2　おそれ
3　かぎり
4　きっかけ

23 □□□

317 **2** **貿易**の専門学校に行きたいと言うと、両親は賛成してくれた。

When I told my parents I wanted to go to a school that specializes in foreign trade, they approved.
跟父母一说想去贸易的专门学校，他们就同意了。
무역의 전문학교에 가고 싶다고 하자 , 부모님은 찬성해 주었다 .

貿 **ボウ**：貿易
易 **エキ**：貿易　**イ**：容易な・安易な
やさ（-しい）：易しい
専 **セン**：専門・専攻する
賛 **サン**：賛成する

もじ

318 **2** 私は**要領が悪い**から、何をするにも時間がかかる。

I am inefficient, so it takes me a long time to do anything.
我做事笨拙，干什么都要花时间。 / 나는 요령이 나빠서 , 무엇을 하더라도 시간이 걸린다 .

要領（ようりょう） knack, hang (of something) / 要领 / 요령
◆**要領**よく説明する　◆仕事の**要領**を覚える
納得（なっとく） ◆**納得**がいかない（＝納得できない） still not be convinced / 无法认可 / 이해가 가지 않는다
⇔ 納得がいく（＝納得する）
手間（てま） ◆**手間**がかかる cumbersome / 费工夫 / 어떤 일을 하는 데 노력이나 수고가 들다
真似（まね） ◆**真似**をする（＝真似る）mimic, copy, imitate / 模仿 / 흉내를 내다

ごい

319 **2** このタイプの電池は、発火の**恐れ**があります。回収にご協力ください。

We are recalling this type of battery because of the danger of combustion.
这种类型的电池，有可能会冒火。请协助回收。
이 타입의 건전지는 발화의 위험이 있습니다 . 회수에 협력해 주세요 .

Nの恐れがある　**Vる恐れがある**　danger / risk / possibility of ~ / 有可能会 V / N / ~의 위험이 있다

＊悪いことが起こる可能性がある
◆この病気は空気感染**の恐れがある**。
◆今夜から明け方にかけて、台風が上陸**する恐れがある**。

ぶんぽう

320 庭の木を切るのはいいが、切った枝を片付けるのが<u>めんどう</u>だ。

1　面到
2　面堂
3　面道
4　面倒

24 □□□

321 大雨が続いて、川が＿＿＿＿あふれそうだ。

1　いまに
2　いまでも
3　いままで
4　いまにも

24 □□□

322 いけないと＿＿＿＿つつ、ついしゃべってしまった。

1　思い
2　思う
3　思え
4　思わ

24 □□□

もじ

320 **4** 庭(にわ)の木(き)を切(き)るのはいいが、切(き)った枝(えだ)を片付(かたづ)けるのが**面倒**(めんどう)だ。

Cutting down the tree in the garden is fine, but cleaning up the branches is troublesome.
修剪院子里的树倒是没什么，整理剪下来的树枝真是很麻烦。
정원의 나무를 자르는 것은 좋지만 자른 가지를 정리하는 것이 귀찮다.

枝 **えだ**：枝(えだ)
片 **ヘン**：破片(はへん)
かた：片方(かたほう)・片付(かたづ)く・片付(かたづ)ける・片道(かたみち)
倒 **トウ**：面倒(めんどう)な・倒産(とうさん)する
たお(-れる/-す)：倒(たお)れる・倒(たお)す
到 **トウ**：到着(とうちゃく)する

ごい

321 **4** 大雨(おおあめ)が続(つづ)いて、川(かわ)が**今**(いま)**にも**あふれそうだ。

The river is about to overflow from the prolonged heavy rain.
持续大雨，河水眼看着就要溢出来了。 / 폭우가 계속되어 강이 지금이라도 넘칠 것이다.

今にも（いまにも） ◆**今**(いま)**にも**～しそう it looks like it might ~ even now / 眼看就要 ~ / 당장에라도 ~할 것 같다
今に（いまに） even now, before long / 即将、不久 / 아직도 . 언젠가
今でも（いまでも） still / 现在依然 / 지금도
今まで（いままで） so far / 到现在为止 / 지금까지

ぶんぽう

322 **1** いけないと**思**(おも)**い**つつ、ついしゃべってしまった。

Although I knew I should not, I talked about it.
虽然明知不可以，但还是不小心说漏嘴了。 / 안된다고 생각하면서 그만 말해 버렸다.

Vつつ(も) ① while ② although / ①一边 V 一边 ~ ②虽然 V、但是 ~ / ~하면서 (도)

＊V~~ます~~つつ（＝ながら） ＊①同時(どうじ) ②逆接(ぎゃくせつ) の硬(かた)い表現(ひょうげん)

◆子供(こども)の姿(すがた)を目(め)で**追**(お)**いつつ**、家事(かじ)をした。
◆連絡(れんらく)しなければと**思**(おも)**いつつ**、忘(わす)れてしまった。

323 家具が倒れないように専用の器具を<u>壁</u>に突き刺して固定する。

1　かび
2　かべ
3　かぶ
4　かば

25 □□□

もじ

324 私は、朝起きて一番に新聞に＿＿＿＿＿、それから出かける支度をする。

1　目をかけ
2　目を引き
3　目をつけ
4　目を通し

25 □□□

ごい

325 あやまれば済む＿＿＿＿＿。

1　わけにはいかない
2　どころではない
3　というものではない
4　よりほかない

25 □□□

ぶんぽう

323 **2** 家具(かぐ)が倒(たお)れないように専用(せんよう)の器具(きぐ)を**壁**(かべ)に突(つ)き刺(さ)して固定(こてい)する。

To make sure the furniture does not fall over, it is held in place by inserting special devices into the wall.
为了防止家具不倒下，用专门的道具扎在墙里固定住。
가구가 넘어지지 않도록 전용 기구를 벽에 꽂아 고정한다.

壁 **ヘキ**：壁画(へきが)　**かべ**：壁(かべ)
突 **トツ**：突然(とつぜん)
つ(-く)：突(つ)く・突(つ)き当(あ)たり
固 **コ**：固体(こたい)・固定(こてい)する
かた(-い)：固(かた)い

324 **4** 私(わたし)は、朝起(あさお)きて一番(いちばん)に新聞(しんぶん)に**目(め)を通(とお)し**、それから出(で)かける支度(したく)をする。

The first thing I do in the morning is look through the newspaper, then I get ready to go to work.
我早晨起床后先浏览报纸，然后再做出门的准备。
나는 아침에 일어나서 가장 먼저 신문을 읽고, 그러고 나서 나갈 준비를 한다.

目を通す（めをとおす） look through / 浏览 / 훑어보다
目をかける（めをかける） be partial to / 一直看、盯着看 / 총애하다
目を引く（めをひく） catch the eye, attract notice / 引人注目 / 눈을 끌다
目をつける（めをつける） have an eye on, zero in on / 着眼、注目 / 노리다. 점찍다.

325 **3** 謝(あやま)れば済(す)む**というものではない**。

It is not always the case that you can just apologize.
并不是光道歉就能完事儿的。 / 사과한다고 끝나는 것은 아니다.

～というものでは(/も)ない it is not always the case / 并不是～、不能说～ / ～라는 것은 아니다

＊「～ば」「～なら」と一緒(いっしょ)によく使(つか)われる

◆日本製(にほんせい)なら品質(ひんしつ)がいい**というものでもない**。

◆安(やす)ければ売(う)れる**というものではない**。

326 この食品には小麦粉は<u>含まれて</u>おりません。

1　つかまれて
2　かこまれて
3　ふくまれて
4　しくまれて

26 □□□

327 その書類には、はんこが必要です。＿＿＿＿忘れないように。

1　くれぐれも
2　いつまでも
3　すこしも
4　ちっとも

26 □□□

328 この漫画の内容は、＿＿＿＿よくない。

1　教育の上に
2　教育上
3　教育の上
4　教育以上

26 □□□

326 **3** この食品(しょくひん)には小麦粉(こむぎこ)は**含まれて**(ふく)おりません。

This foodstuff does not contain wheat flour.
这个食品中不含有面粉。 / 이 식품에는 밀가루는 포함되어 있지 않습니다.

[麦] **むぎ**：小麦(こむぎ)　＊蕎麦(そば)
[粉] **フン**：粉末(ふんまつ)
　　こ：小麦粉(こむぎこ)・パン粉(こ)　**こな**：粉(こな)
[含] **ふく**（-む/-める）：含(ふく)む・含(ふく)める

327 **1** その書類(しょるい)には、はんこが必要(ひつよう)です。**くれぐれも**忘(わす)れないように。

You will need to place your personal seal on that document. Please be sure not to forget.
这个资料需要盖章。一定不要忘了。
그 서류에는 도장을 찍어야 합니다. 부디 잊지 않도록 부탁합니다.

くれぐれも	sincerely, earnestly / 反复、周到 / 부디
いつまでも	for a long time / 永远 / 언제까지나
少しも～ない	（すこしも～ない） not even a little ~ / 一点也不 ~ / 조금도 ~ 하지 않다
ちっとも～ない	not even slightly ~ / 丝毫不 ~ / 조금도 ~ 하지 않다

328 **2** この漫画(まんが)の内容(ないよう)は、**教育上**(きょういくじょう)よくない。　**OK** 教育(きょういく)の上(うえ)では

The content of this comic book is not good from an educational standpoint.
这个漫画的内容，在教育方面不好。 / 이 만화의 내용은 교육상 좋지 않다.

[N上(は)] from the ~ standpoint / 在 N 方面 / ~상 （＝Nの点(てん)から）

◆バスは危険防止上(きけんぼうしじょう)、急(きゅう)に止(と)まることがあります。

[Nの上で(は)] according to ~ / 在 N 上 / ~의 상으로 (는)

◆暦の上では(こよみ うえ)もう春(はる)ですが、雪(ゆき)が降(ふ)りました。（＝暦上(こよみじょう)は）

329 これに「日本語の諸問題」という題をつけ、せいしょして印刷する。

1　精書

2　正書

3　清書

4　情書

27 □□□

330 日本でも＿＿＿＿が不足するという時代が来るかもしれない。

1　食糧（しょくりょう）

2　食費

3　食欲

4　食事

27 □□□

331 このたび、閉店することとなり、これまでのお礼とごあいさつに参った＿＿＿＿。

1　次第です

2　ざるをえません

3　以上です

4　よりほかありません

27 □□□

もじ

329 **3** これに「日本語の諸問題」という題をつけ、<u>清書</u>して印刷する。

I am going to put the title “The Many Problems of Japanese” on this and print out a clean copy.
把这个命名为“日本的诸种问题”，然后誊写清楚再印刷。
이것에「일본어의 제 문제」라는 제목을 붙여 , 정서해서 인쇄한다 .

諸 **ショ**：諸問題・諸国

清 **セイ**：清潔な・清書する

きよ(-い)：清い・清らかな

刷 **サツ**：印刷する　**す**(-る)：刷る

精 **セイ**：精算する・精神

ごい

330 **1** 日本でも**食糧**が不足するという時代が来るかもしれない。

A time might come when there will be a shortage of food in Japan.
即使在日本，粮食不足的时代或许也会到来。 / 일본에서도 음식이 부족한 시대가 올지도 모른다 .

食糧 provisions, food / 食粮 / 식량　　＊食料 food / 食品 / 음식 재료

＊「食糧」は主に米や麦などのことを言う。

The word“ 食糧 ” (provisions) generally refers to rice and wheat and the like. /
“食糧（粮食）”主要是说大米和麦子。 /「식량」은 주로 쌀이나 보리 등을 말한다 .

食欲
- ◆食欲がある have an appetite / 有食欲 / 식욕이 있다
- ◆食欲がわく develop an appetite / 产生食欲、激起食欲 / 식욕이 나다

ぶんぽう

331 **1** このたび、閉店することとなり、これまでのお礼とご挨拶に参った<u>次第です</u>。　**OK** というわけです

I came to cordially thank you for your patronage as we are closing the shop.
此次要歇业，所以前来感谢您以往的关照。
이번에 폐점하게 되어 지금까지의 사례와 인사하러 들른 것입니다 .

～(という)次第だ　the facts of the matter are ... / 所以～ / ～ (라는) 것이다

（＝～というわけだ）　＊説明を示す　＊硬い表現

◆お近くに開店いたしましたので、<u>ご案内を差し上げる**次第でございます**</u>。

332 彼は、群がる記者たちに対して、「私はそれについて肯定も否定もしない。」とコメントした。

1　もりあがる
2　むれがる
3　ぶらさがる
4　むらがる

もじ

333 一生懸命走ったので、＿＿＿＿＿電車に間に合った。

1　なんでも
2　なんとか
3　なんとなく
4　なんとも

ごい

334 家族と相談＿＿＿＿＿、お返事いたします。

1　する上で
2　上で
3　した上で
4　上は

ぶんぽう

28 □□□

332 **4** 彼は、**群がる**記者たちに対して、「私はそれについて肯定も否定もしない。」とコメントした。

He commented to the swarming reporters, "I will neither confirm nor deny that."
他面对成群的记者发表了 "我对此不肯定也不否定"的评论。
그는 몰려드는 기자들에게「나는 그것에 대해 긍정도 부정도 하지 않는다 .」고 견해를 말했다 .

もじ

群 **む** (-れ)：群れ　**む** (-れる)：群れる　**むら**：群がる

肯 **コウ**：肯定する

否 **ヒ**：否定する

333 **2** 一生懸命走ったので、**何とか**電車に間に合った。

I just made the train because I ran as fast as I could.
拼命地跑 , 所以总算赶上了电车。
열심히 달렸기 때문에 , 어떻게든 전철 시간에 늦지 않게 대었다 .

ごい

何とか　（なんとか）　somehow / 总算、想办法 / 어떻게든

◆**何とかする** manage / 想办法解决 / 어떻게든 하다

何となく　（なんとなく）　somehow or other, for some reason or another / 总觉得、不由得 / 왠지

何とも～ない　（なんとも～ない）　I cannot ~ one way or the other / 没什么 ~、什么也不 ~ / 아무렇지도 ~않다

334 **3** 家族と相談**した上で**、お返事いたします。　**OK** 相談の上

I will respond after I discuss it with my family.
和家人商量之后再答复。 / 가족과 상담한 뒤에 답을 하겠습니다 .

ぶんぽう

Nの上で　**Vた上で**　（＝～してから）

◆もう少し考え**た上で**決めます。

Vる上で　（＝Vる場合）

◆この機械を使**う上で**の注意事項を読む。

335 このあたりは高層マンションが多い。

1 辺り
2 与り
3 周り
4 測り

29 □□□

336 私の家のまわりには、＿＿＿＿になるような建物が何もないので、見つけにくいかもしれません。

1 目印
2 合図
3 目的
4 道順

29 □□□

337 小さい地震が続いている。大地震が＿＿＿＿。

1 来るに決まらない
2 来るに決まってない
3 来るのではあるまい
4 来るのではあるまいか

29 □□□

もじ

335 **1** この**辺り**は高層マンションが多い。

There are many high-rise apartment buildings in this area.
这一带高层公寓多。 / 이 근처는 고층 아파트가 많다.

辺 **ヘン**：辺・周辺
あた (-り)：辺り　**べ**：海辺

層 **ソウ**：層・高層・地層

与 **ヨ**：給与
あた (-える)：与える

測 **ソク**：測定する・予測する
はか (-る)：測る

ごい

336 **1** 私の家のまわりには、**目印**になるような建物が何もないので、見つけにくいかもしれません。

There are no landmarks near my house so you might have trouble finding it.
我家周围没有任何能作为标志的建筑物，可能不好找。
집 주위에는 눈에 띌 만한 건물이 아무것도 없어서，찾기 어려울지도 모릅니다.

目印 (めじるし) sign, landmark / 记号、目标 / 표시，목표물

合図 (あいず) signal / 信号 / 신호

目的 (もくてき) goal, aim / 目的 / 목적

道順 (みちじゅん) route / 路线 / 가는 순서

ぶんぽう

337 **4** 小さい地震が続いている。大地震が**来るのではあるまいか**。

Small earthquakes continue to occur. I wonder if the big one will be coming soon.
小地震不断。应该不会有大地震吧。 / 작은 지진이 계속되고있다. 대지진이 오는 것이 아닐까.

Vるまいか　(＝Vだろうと思う)

- 宝くじに当たるなんて夢ではあ**るまいか**。

Vるまい

- お前には俺の気持ちはわか**るまい**。(＝わからないだろう)
- あの店には二度と行**くまい**。(＝行かないつもりだ)

338 ゆで卵を<u>刻んで</u>マヨネーズで混ぜたものや、ハムなどをパンに挟んで、お召し上がりください。

1 かこんで
2 きざんで
3 つつんで
4 はさんで

30 □□□

もじ

339 大量にコピーしたので、用紙が＿＿＿＿＿しまった。

1 切れて
2 済んで
3 破れて
4 抜けて

30 □□□

ごい

340 雪が＿＿＿＿＿、行かなければならない。

1 降ろうか降るまいか
2 降ろうか降ろうとしまいか
3 降ろうが降るまいが
4 降ろうが降ろうとしまいが

30 □□□

ぶんぽう

もじ

338 **2** ゆで卵を**刻んで**マヨネーズで混ぜたものや、ハムなどをパンに挟んで、お召し上がりください。

Please enjoy it with sliced boiled egg mixed with mayonnaise or ham sandwiched in bread.
请把弄碎的水煮蛋和蛋黄酱搅拌起来的东西或火腿什么的夹在面包里后品尝。
삶은 달걀을 잘게 썰어 마요네즈 섞은 것이나 , 햄 등을 빵에 끼워 드십시오 .

刻 **コク**：深刻な・時刻
きざ (-む)：刻む

挟 **はさ** (-まる /-む)：挟まる・挟む

召 **め** (-す)：召し上がる

ごい

339 **1** 大量にコピーしたので、用紙が**切れて**しまった。

I made so many copies that I ran out of paper.
因为大量复印，纸张用完了。 / 대량으로 복사했기 때문에 , 용지가 다 떨어져 버렸다 .

切れる（きれる）
- ◆**電池が切れる** battery runs out / 没电 / 건전지가 떨어지다
- ◆**糸が切れる** string breaks / 线断 / 실이 끊어지다
- ◆**電話が切れる** get cut off on the phone / 电话断了 / 电话挂断 / 전화가 끊어지다

済む（すむ）
- ◆**仕事が済む** get work done / 工作结束 / 일이 끝나다
- ＊ 宿題を済ませる get homework done / 作业完成 / 숙제를 끝마치다

340 **3** 雪が**降ろうが降るまいが**、行かなければならない。

Whether it snows or not, I still have to go.
不管是下雪还是不下雪，都必须去。 / 눈이 내리든 내리지 않든 가지 않으면 안된다 .

ぶんぽう

～うが～まいが **～うと～まいと** （＝～ても～ても）

- ◆食べ**ようと**食べ**まいと**、あなたの勝手です。（＝食べても食べなくても）
- ◆どんな事情があ**ろうが**（＝どんな事情があっても）

～うか～まいか whether it ~ or ~ / 不管 ~ 还是不 ~ / ~ 든지 ~ 않든지

- ◆パーティーに行**こうか**行く**まいか**迷っている。

341 禁煙席と喫煙席、どちらがよろしいですか。→308

1　けつえんせき　2　きつえんせき

1□□□

342 病気の回復をいのる。→299

1　折る　2　祈る

2□□□

343 めがねを＿＿＿と、イメージが変わるね。→288

1　はずす　2　はぶく

1□□□

344 ＿＿＿仕事を辞めて、大学でもう一度勉強することにした。→270

1　思いっきり　2　思い切って

2□□□

345 学生は、勉強さえしていればいい＿＿＿。→325

1　というものではない　2　おそれがない

1□□□

346 これ以上、不況が続いたら、この会社も倒産＿＿＿。→265

1　しかねる　2　しかねない

2□□□

もんだい

もじ

347 芸術の秋、食欲の秋、スポーツの秋などと言います。→251

1 げいのう　　2 げいじゅつ

3□□□

348 園内の動物に食べ物をあたえないでください。→335

1 与えないで　　2 給えないで

4□□□

ごい

349 あれ、田中さん、________帰ったんだろう。用事があったのに。→255

1 あっという間に　　2 いつの間に

3□□□

350 外食ばかりしているから、________が高くついて仕方がない。→258

1 食代　　2 食費

4□□□

ぶんぽう

351 ________のあまり、私はしばらく声も出なかった。→262

1 驚き　　2 驚く

3□□□

352 病気は回復________。→289

1 しつつある　　2 しがちだ

4□□□

前のページの答え　341 2　342 2　343 1　344 2　345 1　346 2

もじ

353 <u>灯油</u>を買いに行く。→ 299

1　とうゆ　　　2　ちょうゆ

5□□□

354 この魚は海の<u>そこ</u>にいます。→ 260

1　床　　　2　底

6□□□

ごい

355 11月に入ってから、＿＿＿＿気温が下がった。→ 297

1　至急　　　2　急激に

5□□□

356 コンピューターの故障のため、本日は本の＿＿＿＿ができません。→ 300

1　貸し出し　　　2　引き出し

6□□□

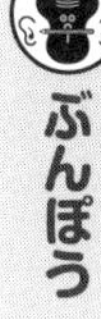

ぶんぽう

357 この薬を使う＿＿＿＿、次のことに気を付けてください。

→ 334

1　上で　　　2　上に

5□□□

358 上司に呼ばれたら、休みでも会社に＿＿＿＿。→ 268

1　こざるをえない　　　2　きざるをえない

6□□□

前のページの答え　 347 2　 348 1　 349 2　 350 2　 351 1　 352 1

もんだい

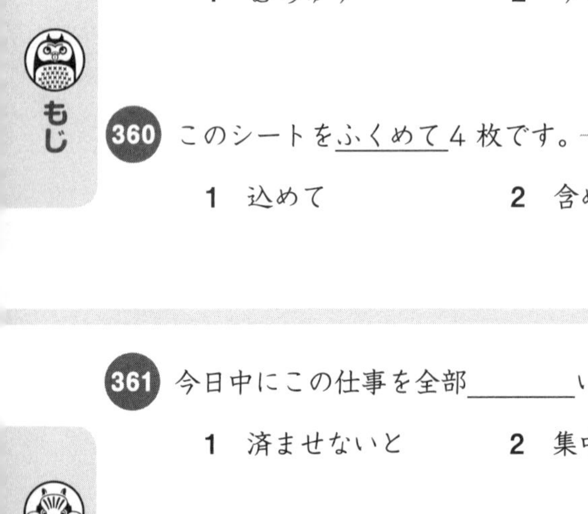

もじ

359 <u>宇宙</u>旅行が夢ではなくなった。→ 278

1 むちゅう　　2 うちゅう

7 □□□

360 このシートを<u>ふくめて</u>4枚です。→ 326

1 込めて　　2 含めて

8 □□□

ごい

361 今日中にこの仕事を全部＿＿＿＿いけない。→ 339

1 済ませないと　　2 集中させないと

7 □□□

362 図書館で本を借りたら返すのが当たり前だが、＿＿＿＿と言って返さない人がいる。→ 306

1 だらしない　　2 面倒くさい

8 □□□

ぶんぽう

363 安全確認が＿＿＿＿次第、運転を再開します。→ 283

1 できた　　2 でき

7 □□□

364 電話の声＿＿＿＿、優しそうな人だ。→ 298

1 からすると　　2 次第で

8 □□□

前のページの答え　353 1　354 2　355 2　356 1　357 1　358 1

365 <u>大幅</u>な変更はありません。→284

1　おおはば　　2　おおほぼ

9 □□□

366 暗いからライトで<u>てらして</u>ください。→260

1　照らして　　2　灯らして

10 □□□

367 計算が＿＿＿＿合うまで、家に帰れない。→312

1　ぎっしり　　2　ぴったり

9 □□□

368 田中さんは、仕事の＿＿＿＿を覚えるのが速い。→318

1　要領　　2　手間

10 □□□

369 ベッドに入るか入らないかの＿＿＿＿、寝てしまった。→286

1　うちに　　2　あまり

9 □□□

370 本当のことを話そうか話す＿＿＿＿悩んでいます。→340

1　まいと　　2　まいか

10 □□□

もじ

371 よく家の手伝いをして<u>偉い</u>ね。→ 251

1 いらい　　2 えらい

11 □□□

372 機械を<u>そうさする</u>。→ 281

1 操作する　　2 捜査する

12 □□□

ごい

373 自分の＿＿＿＿に合った大学を選ぶことが重要だ。→ 336

1 納得　　2 目的

11 □□□

374 田中先生は、話す＿＿＿＿が速くて、聞き取るのが大変だ。→ 294

1 タイミング　　2 テンポ

12 □□□

ぶんぽう

375 来週は＿＿＿＿の天気が続くでしょう。→ 301

1 曇りがち　　2 曇りっぽい

11 □□□

前のページの答え　365 1　366 1　367 2　368 1　369 1　370 2

第4週

Week 4 / 第 4 周 / 제 4 주

- ６日目まで終わったら、正解の数を数えて記入しましょう。
- 正解の少ない分野があったら、もう一度やってから７日目に進みましょう。
- ７日目は復習です。終わったら正解の数を記入して、学習の効果を確認しましょう。

- At the end of the first six days, count the number of questions that were correct.
- If there is a section where you got only a few questions correct, please do it over before moving on to the seventh day.
- The seventh day is for reviewing. When you are finished, fill in the number of the correct answers to see how you have improved.

- 学到第 6 天时，将回答正确的题数记录下来。
- 正确率较低的部分，重新再做一遍以后再学习第 7 天的内容。
- 第 7 天为复习。做完后将回答正确的题数记录下来，确认学习效果。

- 6 일째까지 마친 후 정답 수를 세어 기록합시다 .
- 정답 수가 적은 분야가 있으면 다시 한 번 한 후에 7 일째를 합시다 .
- 7 일째는 복습입니다 . 다 마친 후 정답 수를 적고 , 학습 효과를 확인합시다 .

もじ

	1～6日目	7日目（ふくしゅう）
1回目	／30問	／12問
2回目	／30問	／12問
3回目	／30問	／12問

ごい

	1～6日目	7日目（ふくしゅう）
1回目	／30問	／12問
2回目	／30問	／12問
3回目	／30問	／12問

ぶんぽう

	1～6日目	7日目（ふくしゅう）
1回目	／30問	／11問
2回目	／30問	／11問
3回目	／30問	／11問

前のページの答え 371 2 372 1 373 2 374 2 375 1

もじ

________ のことばをひらがなは漢字に、漢字はひらがなに直して、正しいものを選択肢から選びなさい。

Choose the correct word from the multiple options after converting the underlined *kanji* word into *hiragana* or the *hiragana* word into *kanji*.

将 ________ 部分的假名变成汉字, 汉字变成假名, 从选项中选择正确的。

________ 의 말을 히라가나는 한자로, 한자는 히라가나로 고쳐, 바른것을 선다형에서 고르시오.

ごい

________ のところに何を入れたらよいか。いちばん適当なものを選択肢から一つ選びなさい。

What is the right word to fit in the underlined space? Choose one correct word out of the multiple options.

________ 中应该填入什么? 从选项中选择最恰当的。

________ 에 무엇을 넣으면 좋은지. 가장 적당한 것을 선다형에서 하나 고르시오.

ぶんぽう

________ のところに何を入れたらよいか。いちばん適当なものを選択肢から一つ選びなさい。

What is the right word to fit in the underlined space? Choose one correct word out of the multiple options.

________ 中应该填入什么? 从选项中选择最恰当的。

________ 에 무엇을 넣으면 좋은지. 가장 적당한 것을 선다형에서 하나 고르시오.

376 劇場には<u>抱え</u>きれないほどの花束や贈り物が届いていた。

1　ささえ
2　かかえ
3　たたえ
4　ひかえ

1□□□

377 これは、＿＿＿＿のガソリン消費量を表したグラフです。

1　年度
2　年月
3　年代
4　年間

1□□□

378 お食事中＿＿＿＿、お邪魔(じゃま)してすみません。

1　のあげく
2　のところ
3　のこととて
4　のあまり

1□□□

376 **2** 劇場には**抱え**きれないほどの花束や贈り物が届いていた。

There were armfuls of presents and flower bouquets delivered to the theater.
剧场里收到了多得抱也抱不住的花束和礼物。
극장에는 , 안을 수 없을 정도로 많은 꽃다발과 선물이 도착해 있었다 .

劇 **ゲキ**：劇場・演劇

抱 **だ** (-く)：抱く　**いだ** (-く)：抱く
かか (-える)：抱える

贈 **おく** (-る)：贈る・贈り物

377 **4** これは、**年間**のガソリン消費量を表したグラフです。

This is a graph of the annual gasoline consumption.
这是表示一整年汽油消费量的图表。 / 이것은 , 연간 휘발유 소비량을 나타낸 그래프입니다 .

ごい

年間 (ねんかん) period of one year / 一年、一整年 / 연간

年度 (ねんど) year (of something) / 年度 / 연도

年月 (ねんげつ) year and month (of something) / 年月、岁月 / 세월

年代 (ねんだい) ◆1990 **年代** the 1990s / 1990 年代 / 1990 년대

378 **2** お食事中**のところ**、お邪魔してすみません。

Excuse me for interrupting your meal.
在您吃饭的时候打扰您，真是对不起。 / 식사 중에 방해해서 죄송합니다 .

ぶんぽう

～ところ(を)　(＝～という状況なのに)

◆お忙しい**ところを**わざわざおいでいただき、ありがとうございました。

◆お取り込み中の**ところ**、失礼いたします。

379 この映画はノーベル賞を受賞したてんさい数学者の栄光と苦しみの物語である。

1　点才
2　展才
3　転才
4　天才

2 □□□

380 その事件は、＿＿＿＿＿で大きく取り上げられた。

1　ジャンル
2　アンケート
3　マスコミ
4　ニュアンス

381 経験のあるなし＿＿＿＿＿、パートタイマーを募集します。

1　いかんでは
2　にかぎり
3　よらず
4　にかかわらず

2 □□□

379 **4** この映画はノーベル賞を受賞した**天才**数学者の栄光と苦しみの物語である。

This movie tells the tale of a Nobel Prize-winning genius mathematician's glory and pains.
这个电影讲述了获得诺贝尔数学奖的天才数学家之荣耀及苦痛的故事。
이 영화는 노벨상을 받은 천재 수학자의 영광과 고통의 이야기이다.

[賞] **ショウ**：賞品・賞金・ノーベル賞・受賞する
[才] **サイ**：才能・天才
[栄] **エイ**：栄養・栄光

380 **3** その事件は、**マスコミ**で大きく取り上げられた。

The incident received a lot of media coverage.
那个事件被媒体大肆报道。 / 그 사건은 매스컴에서 크게 다루었다.

マスコミ	mass communication, media / 媒体 / 매스컴
ジャンル	genre / 种类、体裁 / 장르
アンケート	questionnaire, survey / 问卷调查 / 앙케트
ニュアンス	nuance / 语感、微妙差别、感觉 / 뉘앙스

ごい

381 **4** 経験のあるなし**にかかわらず**、パートタイマーを募集します。

Part-time worker wanted. Experience not necessary.
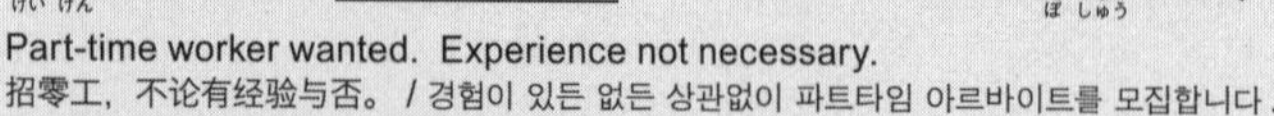
招零工，不论有经验与否。 / 경험이 있든 없든 상관없이 파트타임 아르바이트를 모집합니다.

ぶんぽう

Nにかかわらず （＝Nに関係なく）

＊N＝年齢、性別のほか、反対のことば（有無、良し悪し、など）

◆合否**にかかわらず**、通知します。

Nによらず

◆学歴**によらず**、能力のある人を採用する。

382 男は、酒を飲んで<u>暴れ</u>、仲間を殺すと叫んでいた。

1　あばれ
2　あわれ
3　あらわれ
4　あなわれ

もじ

3 □□□

383 彼は首相に＿＿＿＿＿人物だ。

1　やかましい
2　ふさわしい
3　たのもしい
4　ひとしい

ごい

3 □□□

384 大臣の発言は、党の信用＿＿＿＿＿と批判の声が上がった。

1　にかかわるものだ
2　ではあるまいし
3　といったところだ
4　きわまりない

ぶんぽう

3 □□□

こたえ

もじ

382 **1** 男は、酒を飲んで**暴れ**、仲間を殺すと叫んでいた。

The man got drunk and lashed out, screaming that he would kill his friend.
那个男的酒后大闹，喊着说要杀了他朋友。
남자는 , 술을 마시고 날뛰며 , 동료를 죽이겠다고 소리치고 있었다 .

暴	**ボウ**	乱暴な
	あば (-れる)	暴れる
仲	**なか**	仲良し・仲直り・仲間
殺	**サツ**	自殺・殺人
	ころ (-す)	殺す
叫	**さけ** (-ぶ)	叫ぶ・叫び

383 **2** 彼は首相に**ふさわしい**人物だ。

He would be a suitable person to be prime minister.
他是适合当首相的人。/ 그는 수상으로 어울리는 인물이다 .

ふさわしい		suitable / 适合、相称 / 어울리다
やかましい		noisy, boisterous / 吵闹、繁琐 / 요란스럽다
頼もしい	(たのもしい)	reliable / 靠得住的 / 믿음직스럽다
等しい	(ひとしい)	equal / 相等、等于 / 동등하다

384 **1** 大臣の発言は、党の信用**に関わるものだ**と批判の声が上がった。

The minister's remark was criticized for putting a stain on the party's reputation.
批判说大臣的发言关系到党的信用呼声越来越高。
장관의 발언은 당의 신용에 관계되는 것이라고 비판의 목소리가 높았다 .

Nに関わる　（＝Nに関係する）

- ◆ああいう店員を雇っていたのでは店の評判**に関わります**。
- ◆名誉**に関わる**問題だから、白黒はっきりさせなければならない。

385 ちいきの行事に積極的に参加しましょう。

1　地城
2　知職
3　地域
4　知識

4□□□

386 あ、また計算を間違えた。今日はなんだか頭が＿＿＿＿するなあ。

1　ぼうっと
2　しいんと
3　ちらっと
4　さっさと

387 天気が悪いので人は＿＿＿＿と思いきや、会場は満員になった。

1　集まった
2　集まるまい
3　集まろう
4　集まりつつ

4□□□

385 **3** **地域**の行事に積極的に参加しましょう。

Let's be proactive about participating in local activities.
让我们积极参加地方活动吧。 / 지역의 행사에 적극적으로 참여합시다 .

もじ

域 **イキ**：地域・流域
極 **キョク**：北極⇔南極・積極的⇔消極的
城 **ジョウ**：大阪城
しろ：城
職 **ショク**：職業・就職する

386 **1** あ、また計算を間違えた。今日はなんだか頭が**ぼうっと**するなあ。

Ah, I miscalculated again. I just cannot seem to focus today.
啊，又算错了。今天不知怎的脑子不清楚。
아 , 또 계산을 잘못했다 . 오늘은 왠지 머리가 멍하네 .

ごい

ぼうっとする	zone out, daydream, be in a dreamlike state / 精神恍惚、出神 / 멍해지다
しいんとする	be silent, be very quiet / 鸦雀无声 / 소리하나 없이 조용해지다
ちらっと	◆**ちらっと**見る glance at, glimpse at / 瞥见、乍一看 / 언뜻 보다
さっさと	◆**さっさと**する do immediately, do without delay / 迅速做、赶紧做 / 재빨리 해치우다 .

387 **2** 天気が悪いので人は**集まるまい**と思いきや、会場は満員になった。

I was not expecting so many people but, despite the weather, the hall was filled.
因为天气不好，本以为不会有很多人，没想到会场上满员了。
날씨가 나빠서 사람이 모이지 않을 거라고 생각했지만 회장은 만원이 되었다 .

ぶんぽう

～と思いきや　（＝～と思ったが）　＊予想と結果が反対

◆簡単な問題だ**と思いきや**、なかなか解けなかった。

◆春が来た**と思いきや**、また冬に逆戻りしそうだ。

388 水には軟水、<u>硬水</u>、炭酸水がある。

1　かっすい
2　こうずい
3　ぎょうずい
4　こうすい

もじ

5 □□□

389 子供の＿＿＿＿が多いのが気になり、眼科(がんか)に連れていきました。

1　にきび
2　あざ
3　まばたき
4　しみ

ごい

5 □□□

390 あの人は他人にきびしい＿＿＿＿、自分にもきびしい。

1　ばかりに
2　によらず
3　ばかりで
4　のみならず

ぶんぽう

5 □□□

もじ

388 **4** 水(みず)には軟水(なんすい)、**硬水(こうすい)**、炭酸水(たんさんすい)がある。

There are three types of water: soft water, hard water, and carbonated water.
水有软水、硬水和碳酸水。 / 물에는 연수, 경수, 탄산수가 있다.

硬	**コウ**	：硬貨(こうか)・硬水(こうすい)
	かた (-い)	：硬(かた)い
軟	**ナン**	：軟水(なんすい)・柔軟(じゅうなん)な
	やわ (-らかい)	：軟(やわ)らかい
炭	**タン**	：石炭(せきたん)・炭鉱(たんこう)・炭酸(たんさん)ガス・炭酸水(たんさんすい)

ごい

389 **3** 子供(こども)の**まばたき**が多(おお)いのが気(き)になり、眼科(がんか)に連(つ)れていきました。

I was concerned about my child blinking so many times, so I took him to the eye doctor.
孩子总是眨眼，我不放心，带着去了眼科。
아이의 눈깜박임이 많아 걱정이 되어 안과에 데려갔습니다.

まばたき	blink / 眨眼 / 눈깜박임
にきび	pimple / 痤疮、粉刺、痘痘 / 여드름
あざ	bruise / 痣、淤青 / 멍
染み	（しみ） stain / 污垢、斑痕 / 얼룩

ぶんぽう

390 **4** あの人(ひと)は他人(たにん)に厳(きび)しい**のみならず**、自分(じぶん)にも厳(きび)しい。

OK 厳(きび)しいばかりか／厳(きび)しいばかりでなく

He is not only hard on other people, he is hard on himself.
那个人不仅对他人严格，对自己也严格。
저 사람은 타인에게 엄격할 뿐만아니라, 자기에게도 엄격하다.

(ただ) aのみならずb (も) （＝aばかりかb／aばかりでなくb）

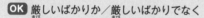

- この家具(かぐ)はデザイン性(せい)に優(すぐ)れている**のみならず**、実用的(じつようてき)だ。
- 最近(さいきん)は女性(じょせい)**のみならず**、男性(だんせい)**も**化粧(けしょう)をする。

391 東京<u>わん</u>で巨大魚が発見された。

1 河
2 岸
3 湾
4 湖

もじ

6 □□□

392 革のジャケットを押し入れにしまったままにしていたら、＿＿＿＿＿しまった。

1 さびて
2 しぼんで
3 かびて
4 もらして

ごい

6 □□□

393 このところ、机の前に＿＿＿＿＿っぱなしで運動不足だ。

1 向かう
2 向かわ
3 向かえ
4 向かい

ぶんぽう

6 □□□

こたえ

391 **3** 東京湾で巨大魚が発見された。

A gigantic fish was discovered in Tokyo Bay.
在东京湾发现了巨型鱼。 / 도쿄 항만에서 거대한 물고기가 발견되었다 .

もじ

湾	**ワン**	湾・湾岸
巨	**キョ**	巨大な
河	**カ**	河川・運河
	かわ	河
岸	**ガン**	海岸
	きし	岸

392 **3** 革のジャケットを押し入れにしまったままにしていたら、**かびて**しまった。

Because I left my leather jacket in the closet for so long, it was covered in mold.
把皮夹克一直放在壁橱里，结果发霉了。
가죽 재킷을 벽장에 넣은 채로 두었더니 곰팡이가 피었다 .

ごい

かびる get moldy / 发霉 / 곰팡이가 피다 （＝かびが生える）

さびる rust / 生锈 / 녹이 슬다

しぼむ wither, wilt / 枯萎、凋零 / 시들다

もらす ① let something leak ② wet oneself / 漏、遗漏、泄露 / 새게 하다 . 누설하다

393 **4** このところ、机の前に**向かい**っぱなしで運動不足だ。

I have recently just been sitting at my desk. I should get some exercise.
最近总是坐在桌前不动，运动不足。/ 요즘 , 책상앞에 향하기만 하여 운동 부족이다 .

ぶんぽう

Vっぱなし ＊V~~ます~~っぱなし

◆電気を**つけっぱなし**にしないで、きちんと消してください。（＝つけたまま）

◆母は久しぶりに会ったものだから、**しゃべりっぱなし**だ。

（＝ずっとしゃべっている）

394 平和という考えには、国と国を分ける<u>こっきょう</u>はない。

1 国共
2 国境
3 国況
4 国橋

7 □□□

395 ＿＿＿＿に貼(は)り付けて熱を冷ますというシートがある。

1 あご
2 かかと
3 まゆげ
4 おでこ

7 □□□

396 困ったときは、先生＿＿＿＿親＿＿＿＿に相談したほうがいい。

1 たり／たり
2 なり／なり
3 せよ／せよ
4 しろ／しろ

7 □□□

もじ

394 **2** 平和(へいわ)という考(かんが)えには、国(くに)と国(くに)を分(わ)ける**国境(こっきょう)**はない。

In the theory of peace, there are no borders to divide countries.
之于和平的理念，是没有分别国与国之间的国境线的。
평화라는 생각에는 , 나라와 나라를 구분하는 국경은 없다 .

[平] **ヘイ**：平日(へいじつ)・平和(へいわ)・平方(へいほう)　**ビョウ**：平等(びょうどう)
ひら：平(ひら)たい　**たい** (-ら)：平(たい)らな

[境] **キョウ**：国境(こっきょう)・環境(かんきょう)
さかい：境(さかい)　＊境内(けいだい)

[共] **キョウ**：共通(きょうつう)・共同(きょうどう)・公共(こうきょう)・共感(きょうかん)する・共存(きょうぞん)する

ごい

395 **4** **おでこ**に貼(は)り付(つ)けて熱(ねつ)を冷(さ)ますというシートがある。

They have a sheet that goes on the forehead to help reduce a fever.
有一种贴在额头上可以退烧的贴片。 / 이마에 붙여 열을 식힌다는 시트가 있다 .

[おでこ] forehead / 额头 / 이마 （＝額(ひたい)）
[あご] chin / 下巴 / 턱
[かかと] heel / 脚后跟 / 발꿈치　＊つま先(さき) toes / 脚尖 / 발가락 끝
[眉毛] (まゆげ) eyebrow / 眉毛 / 눈썹
＊眉(まゆ) eyebrow, brow / 眉毛 / 속눈썹

ぶんぽう

396 **2** 困(こま)ったときは、先生(せんせい)**なり**親(おや)**なり**に相談(そうだん)したほうがいい。

When you have a problem, you should discuss it with your teacher or parents.
有困难的时候，最好找老师或者父母商量。
곤란할 때는 선생님이든 부모이든 상담하는 쪽이 좋다 .

[N1なりN2なり] [V1るなりV2るなり]　＊どちらでも、何(なん)でもいいから

◆電話(でんわ)**なり**何(なん)**なり**、連絡方法(れんらくほうほう)はいくらでもあるでしょう。
◆横(よこ)にな**るなり**お茶(ちゃ)を飲(の)**むなり**、とにかく少(すこ)し休(やす)みましょう。

397 君たちのような将来有望な若者がいて、私たち町民は<u>鼻</u>が高い。町の宝だ。

1　みみ
2　くび
3　まゆ
4　はな

8 □□□

398 傷口（きずぐち）が＿＿＿＿＿まで、少し時間がかかりますよ。

1　もどす
2　まとまる
3　ふさがる
4　はがす

399 彼女は＿＿＿＿＿なり私に文句（もんく）を言い始めた。

1　会い
2　会った
3　会う
4　会って

8 □□□

もじ

397 **4** 君たちのような将来有望な若者がいて、私たち町民は**鼻**が高い。町の宝だ。

We townsfolk are proud to have such young people with promising futures like you. You are our town treasure.
能有像你们这样前途光明的年轻人，是我们镇民的荣耀，是我们镇的宝贝啊。
자네들과 같은 장래가 유망한 젊은이가 있어서 , 우리 읍민은 자랑스럽다 . 마을의 보물이다 .

将 **ショウ**：将来・将棋
鼻 **ビ**：耳鼻科　**はな**：鼻・鼻血
宝 **ホウ**：宝石　**たから**：宝

ごい

398 **3** 傷口が**ふさがる**まで、少し時間がかかりますよ。

It will take some time for the wound to close.
伤口愈合需要花点时间。 / 상처가 아물기까지 조금 시간이 걸립니다 .

ふさがる　be blocked, be closed / 合、堵 / 아물다　＊ふさぐ close, block / 堵、郁闷 / 막다
戻す　（もどす） return, put back, give back / 归还、退回、返还 / 제자리에 돌려주다
◆使ったはさみを元に**戻す**
まとまる　be collected, be in order / 归纳、汇总 / 통합되다　◆意見が**まとまる**
はがす　tear off, peel off / 剥下、揭下 / 떼다　◆切手を**はがす**

ぶんぽう

399 **3** 彼女は**会う**なり私に文句を言い始めた。

As soon as we met, she started complaining.
她刚一见面就开始发牢骚。 / 그녀는 만나자마자 내게 불만을 말하기 시작했다 .

Vるなり　（＝Vるとすぐに／Vるが早いか）　＊Vは同じ動作主

◆酔った夫は玄関に**入るなり**、寝てしまった。
◆犬は僕を**見るなり**しっぽを振って、飛びついてきた。

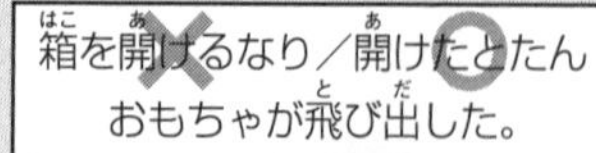
箱を開けるなり／開けたとたん
おもちゃが飛び出した。

言わない！

400 その政党の名前は長いので<u>りゃくして</u>呼んでいます。

もじ

1　略して
2　逆して
3　圧して
4　短して

401 当施設（しせつ）＿＿＿＿のメールは、このアドレスをお使いいただきますよう、お願いいたします。

ごい

1　あて
2　いき
3　より
4　だし

402 休暇（きゅうか）を取って海外旅行ですか。うらやましい＿＿＿＿です。

ぶんぽう

1　わけ
2　あまり
3　一方
4　かぎり

9 □□□

400 **1** その政党の名前は長いので**略して**呼んでいます。

That political party's name is long, so we refer to them using an abbreviated name.
那个政党的名称太长，所以简略称呼。 / 그 정당의 이름은 길어서 줄여서 부르고 있습니다 .

もじ

党 **トウ**：政党
略 **リャク**：略す・省略する
逆 **ギャク**：逆・逆転する
さか：逆さ・逆立ち　**さか**（-らう）：逆らう

401 **1** 当施設**宛て**のメールは、このアドレスをお使いいただきますよう、お願いいたします。

Please use this e-mail address for mail addressed to this facility.
发给本机构的邮件，烦请您使用这个地址。
당 시설 앞으로의 메일은 이 주소를 사용해 주시기를 부탁드립니다 .

ごい

宛て（あて）◆**宛名** address / 收件人 / 받는 사람（＝宛先）

＊差出人 sender / 寄件人 / 보내는 사람　＊受取人 receiver / 接收人 / 수취인
＊受信者 addressee / 收信人 / 수신자　＊送信者 sender / 发信人 / 송신자

402 **4** 休暇を取って海外旅行ですか。うらやましい**限り**です。

You are taking time off work to go on a holiday abroad? I am so envious.
请了假去海外旅行呀？真是太羡慕你了。/ 휴가를 받은 해외 여행입니까 . 부러울 뿐입니다 .

ぶんぽう

Aい限りだ **Naな限りだ**（＝非常に～という気持ちだ）

＊感情を表す語彙につく

◆教え子が試験に合格して、**嬉しい限りです**。

◆お辞めになるなんて、**残念な限りです**。

403 招待状ありがとう。喜んで伺います。服装についてお聞きしたいんですが…。

もじ

1　つつしんで
2　すすんで
3　よろこんで
4　ゆるこんで

404 この間買ったサングラスが、鼻の形に合わないのか、＿＿＿＿困る。

ごい

1　ゆがんで
2　ずれて
3　ねじれて
4　そろえて

10 □□□

405 短い生涯（しょうがい）だったが、その詩人は命の＿＿＿＿生きた。

ぶんぽう

1　かぎり
2　たりとも
3　ごとく
4　いたるまで

10 □□□

もじ

403 **3** 招待状ありがとう。<u>**喜んで**</u>伺います。服装についてお聞きしたいんですが…。

Thank you for the invitation. I will be happy to attend. I would like to ask about the dress code.
谢谢你的请帖。我会欣然参加的。想问问服装的事情…
초대장 감사합니다 . 기꺼이 방문하겠습니다 . 복장에 대해 여쭙고 싶습니다만 ....

[状] **ジョウ**：招待状・年賀状・状態・状況
[喜] **キ**：喜劇⇔悲劇
よろこ（-ぶ）：喜ぶ・喜び
[装] **ソウ**：服装・装置・包装　**ショウ**：衣装

ごい

404 **2** この間買ったサングラスが、鼻の形に合わないのか、<u>**ずれて**</u>困る。

The sunglasses I recently bought do not seem to fit the shape of my nose and slip down too easily, which irks me.
前几天买的太阳镜，或许和鼻子的形状不符，总是向下滑，真是麻烦。
일전에 산 선글라스가 코의 형태에 맞지 않았는지 , 내려와서 곤란하다 .

ずれる	◆（物が）**ずれる** slip off / (东西) 错位 / (물건이) 미끄러져 이동하다 ◆予定が**ずれる** schedule shifts / 和计划不符 / 예정이 어긋나다
ゆがむ	warp / 歪、歪曲 / (물건이) 일그러지다
ねじれる	get twisted / 弯曲、乖僻 / 꼬이다
そろえる	gather, collect / 齐备、使…一致 / 가지런히 하다　◆靴を**そろえる**

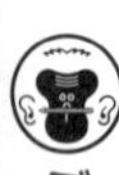

ぶんぽう

405 **1** 短い生涯だったが、その詩人は命の<u>**限り**</u>生きた。

That poet did not live a long life, but he made the best of it.
尽管是短暂的人生，但那位诗人却在有生之年活好了每一天。
짧은 생애 였지만 , 그 시인은 생명이 다할 때까지 살았다 .

Nの限り　**Vる限り**　＊限度を表す

◆選手たちは、<u>力**の限り**</u>戦った。
◆<u>できる**限り**</u>のことはした、と医者は言った。

406 教育を受ける<u>権利</u>は国民が国に対して持つ基本的人権の一つです。

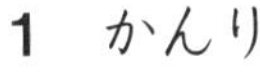
1　かんり

2　けんり
3　こんり
4　きんり

11 □□□

407 絶対に使わないものなら、＿＿＿＿＿捨ててしまったほうがいいと思う。

1　いっそ

2　いまさら
3　いっこうに
4　いまだに

11 □□□

408 健康＿＿＿＿＿こそ、仕事も勉強も運動もすることができるのだ。

1　であると
2　から
3　であって
4　なら

11 □□□

こたえ

406 **2** 教育を受ける**権利**は国民が国に対して持つ基本的人権の一つです。

The right to education is a basic human right of citizens received from the government.
接受教育的权利是国民之于国家拥有的最基本的人权之一。
교육받을 권리는 국민이 국가에 대하여 가지는 기본적 인권의 하나입니다 .

もじ

権 ケン：権利・人権

基 キ：基本・基礎・基準・基地・基金

もと：基に・基づく

管 カン：管理する・血管

くだ：管

407 **1** 絶対に使わないものなら、**いっそ**捨ててしまったほうがいいと思う。

I think you might as well throw away the stuff you will never use. / 如果是绝对不用的东西，还不如干脆扔了。 / 절대로 사용하지 않는 것이라면 차라리 버려 버리는 편이 좋다 .

いっそ		would rather / 干脆、倒不如 / 차라리
今更	（いまさら）	now (after such a long time), at this moment (why not sooner) / 现在才、事已至此 / 새삼스럽게
一向に～ない	（いっこうに～ない）	not at all ~, not ~ in the least / 一点都不 ~、完全不 ~ / 조금도 ~ 하지 않다
未だに	（いまだに）	even now, still / 到现在仍然 / 지금에 와서도 아직

408 **3** 健康**であって**こそ、仕事も勉強も運動もすることができるのだ。

You can only work, study, and get exercise when you are healthy.
只有健康，才能工作、学习、运动。 / 건강해야만 , 일도 공부도 운동도 할 수 있는 것이다 .

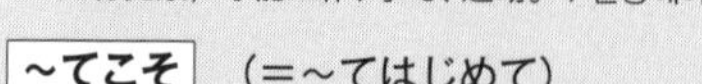

~てこそ （＝～てはじめて）

◆親になって**こそ**、親の気持ちがわかるものだ。

◆語学は実際に使って**こそ**意味がある。

409 この薬を<u>ひとつぶ</u>飲んだら腹痛が治まった。

1　一袋
2　一位
3　一粒
4　一服

12 □□□

410 この家は築50年だが、少し手を＿＿＿＿まだまだ住める。

1　貸せば
2　抜けば
3　つければ
4　入れれば

12 □□□

411 東京に＿＿＿＿、ぜひお立ち寄りください。

1　お越しの上
2　お越しの際で
3　お越しの中を
4　お越しの折には

12 □□□

もじ

409 **3** この薬を**一粒**飲んだら腹痛が治まった。

My stomachache stopped once I took one of these pills.
这种药只要吃一粒，就能缓解腹痛。 / 이 약을 한 알 먹었더니 복통이 나았다 .

粒 つぶ：粒・一粒、二粒…

腹 フク：空腹・腹痛・山腹

はら：腹・腹が立つ

位 イ：位置・地位・上位・優位・一位、二位…

くらい：位

ごい

410 **4** この家は築 50 年だが、少し手を**入れれば**まだまだ住める。

This house is 50 years old but, with a little fixing-up, it would be livable.
这房子虽然盖了 50 年了，但如果修补一下，还完全可以住。
이 집은 건축 50 년이 됐지만 조금 손을 보면 아직 살 수 있다 .

手を入れる （てをいれる） fix up / 加以修补、加工 / 손을 보다

手を貸す （てをかす） offer help / 帮助别人 / 손을 빌려 주다

手を抜く （てをぬく） cut corners / 偷工减料、潦草从事 / 일을 어물어물 넘기다

手を付ける （てをつける） set hands on / 着手做 / 착수하다

ぶんぽう

411 **4** 東京に**お越しの折には**、ぜひお立ち寄りください。

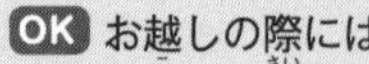

Please come by the next time you come to Tokyo.
您来东京的话，请务必顺道来玩。 / 도쿄에 오실 때에는 꼭 들러주세요 .

～の折に(は) （＝～ときには） ＊硬い表現

- 来日**の折には**、ご連絡いただければお迎えにまいります。
- これは何か**の折に**役立つかもしれないので置いておこう。

412 評判を信じて買った商品が期待外れで、<u>損</u>をした。

1　いん
2　そん
3　けん
4　すん

13 □□□

413 このところ、雨が降ったりやんだりと、＿＿＿＿天気が続いている。

1　おだやかな
2　うっとうしい
3　みっともない
4　そうぞうしい

13 □□□

414 A「このラーメン、おいしいね。」
B「うん、1時間も＿＿＿＿ね。」

1　並んだかいがあった
2　並ぶまでしてよかった
3　並ばずにはいられなかった
4　並びぬいてよかった

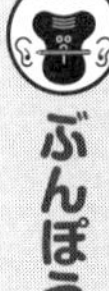

13 □□□

こたえ

もじ

412 **2** 評判を信じて買った商品が期待外れで、**損**をした。

The product I bought after believing the hype turned out not to be what I expected, and a waste of money.
轻信了舆论评价后买来的商品结果和期待的不一样，亏大了。
평판을 믿고 산 상품이 기대에 어긋나서 , 손해 봤다 .

評 ヒョウ：評価・評判・評論
判 ハン：判子・判断・判決・審判・判定する・裁判
バン：大判・A4 判
損 ソン：損・損害・損得

ごい

413 **2** このところ、雨が降ったりやんだりと、**うっとうしい**天気が続いている。

The weather is gloomy these days, what with it raining on and off.
最近雨下下停停，持续着阴沉的天气。
요즘 , 비가 내렸다가 그쳤다가 해서 , 울적하고 답답한 날씨가 이어지고 있다 .

うっとうしい	gloomy / 阴郁、沉闷 / 울적하고 답답하다
穏やかな	（おだやかな） calm, gentle, quiet / 平稳、平静、稳妥 / 평온함
みっともない	shameful, disgraceful / 不像样、不体面 / 보기 싫다
そうぞうしい	gloomy / 吵闹、纷扰 / 귀찮다

414 **1** A「このラーメン、おいしいね。」

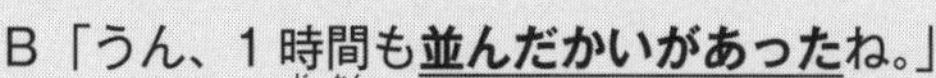

B「うん、1 時間も**並んだかいがあった**ね。」

ぶんぽう

OK 並びがいがあった

A: "This ramen is great." B: "Yeah, it was worth waiting in line for an hour."
A :"这个拉面真好吃。" B :"恩，排了一个小时队还是值得的。"
A「이 라면 , 맛있네요 .」B「응 , 한 시간이나 줄을 선 보람이 있었군요 .」

～かいがある	be worth ~ing / 有意义、有用、值得 / ~ 할 만하다

- 努力の**かいがあって**、希望の大学に入れた。
- 手術の**かいもなく**、父は亡くなってしまった。

415 この植物は、あまり太陽に当てるとかれてしまう。

1　固れて
2　過れて
3　塗れて
4　枯れて

14 □□□

416 A「足、どうしたの？　骨折？」
B「いや、少し＿＿＿＿が入っただけなんだけど…。」

1　ひだ

2　ひび
3　びら
4　びり

14 □□□

417 あんなに不真面目だったのに、今の彼の働き＿＿＿＿にはだれもが驚いている。

1　がい
2　ぶり
3　らしさ
4　がち

14 □□□

もじ

415 **4** この植物(しょくぶつ)は、あまり太陽(たいよう)に当(あ)てると**枯(か)れて**しまう。

This plant will die if you give it too much sunlight.
这种植物，如果过分日晒就会干枯。 / 이 식물은 너무 햇빛을 받으면 시들어 버린다 .

[陽] **ヨウ**：太陽(たいよう)・陽気(ようき)な⇔陰気(いんき)な
[枯] **か（-れる）**：枯(か)れる：枯(か)れ木(き)・枯(か)れ葉(は)
[塗] **ぬ（-る）**：塗(ぬ)る

ごい

416 **2** A「足(あし)、どうしたの？　骨折(こっせつ)？」
B「いや、少(すこ)し**ひび**が入(はい)っただけなんだけど…。」

A: “What happen to your leg? Did you break it?” B: “No, it’s just a small crack.”
A：“你的脚怎么了？骨折了？” B：“不是，只是骨头有点骨裂…”
A「발 , 왜그래 ? 골절 ?」B「아니 , 조금 금이 갔을 뿐인데 ...」

[ひび] crack, fissure / 裂缝、裂口 / 금
[ひだ] fold / 皱纹、褶 / 주름　◆スカートの**ひだ** skirt pleat / 裙子褶 / 치마의 주름
[びら] flyer / 传单 / 광고지（＝チラシ）
[びり] the bottom / 最后、末尾 / 꼴찌　◆**びり**になる

ぶんぽう

417 **2** あんなに不真面目(ふまじめ)だったのに、今(いま)の彼(かれ)の働(はたら)き**ぶり**には誰(だれ)もが驚(おどろ)いている。

He was such an irresponsible person before, but now his commitment to work has surprised everyone.
虽然以前他那么不认真，看到他现在的工作态度谁都会大吃一惊的。
그렇게 불성실했었는데 , 지금 그의 일하는 모습에는 누구나 다 놀라고 있다 .

[Nぶり] [Vぶり] [Vっぷり]　（＝Nのようす / Vるようす）

◆仕事(しごと)ぶり　◆話(はな)しぶり　◆飲(の)みっぷり
◆すごい食(た)べっぷりね。よほどおなかが空(す)いていたのね。

418 この化粧水２、３滴で、<u>荒れた</u>肌がすべすべになります。

1　はれた
2　あれた
3　かれた
4　たれた

15 □□□

419 お皿を８枚まとめて買ったら、１枚分＿＿＿＿くれた。

1　まけて
2　よけて
3　さけて
4　いけて

15 □□□

420 ＿＿＿＿色々考えた結果、国に帰ることにしました。

1　私からすると
2　私のことだから
3　私なりに
4　私らしく

15 □□□

418 **2** この化粧水2、3滴で、**荒れた**肌がすべすべになります。

This skin lotion makes your skin smooth with just two or three drops.
这种化妆水用 2、3 滴就可以使干燥的皮肤变得光滑柔嫩。
이 화장수 2,3 방울로 거칠어진 피부가 매끌매끌하게 됩니다.

もじ

滴 **テキ**：水滴・1滴、2滴…・点滴
しずく：滴

荒 **コウ**：荒廃する
あら（-い）：荒い・荒波・荒々しい　**あ**（-れる/-らす）：荒れる・荒らす

肌 **はだ**：肌・肌着

419 **1** お皿を8枚まとめて買ったら、1枚分**まけて**くれた。

I bought eight dishes and got one of them free.
总共买了 8 个盘子，结果 1 个盘子没算钱。
접시를 전부 8 장 한꺼번에 사니까, 1 장분은 덤으로 주었다.

ごい

（お金などを）まける reduce price (after bartering, etc.) / 让价、多给 / (돈 등을) 깎아 주다

（＝値引きする）

＊おまけ free gift, discount / 赠品、优惠 / 덤

◆病気に**負ける** succumb to illness / 没有抗过疾病 / 병에 지다

◆誘惑に**負ける** yield to temptation / 经不住诱惑 / 유혹에 지다

420 **3** **私なりに**色々考えた結果、国に帰ることにしました。

After thinking about things as best as I could, I have decided to return to my own country.
根据自己的情况考虑许多以后，我还是打算回国了。
나름대로 여러 가지 생각한 결과, 본국에 돌아 가기로 했습니다.

ぶんぽう

Nなり（に/の） **～なら～なり（に/の）**　（＝～の範囲で）

◆お金がない**なら**ない**なりの**生活をしなければならない。

◆ホテルのレストランで食事する**なら**、それ**なりの**格好で行かないといけない。（＝それにふさわしい）

421 この塔も、中の<u>仏像</u>も、９世紀に完成したものらしい。

1　ふつぞう
2　ぶっしょう
3　ぶつぞう
4　ほとけ

16 □□□

422 いったん納入(のうにゅう)された＿＿＿＿は返還(へんかん)しませんので、ご了承ください。

1　入学費
2　入学賃
3　入学金
4　入学料

16 □□□

423 あなたのことを＿＿＿＿、きびしく注意しているんですよ。

1　思えばこそ
2　思ってさえ
3　思えばさえ
4　思うばかりで

16 □□□

もじ

421 **3** この塔も、中の**仏像**も、９世紀に完成したものらしい。

Apparently, this pagoda and the Buddha statue inside were made in the 9th century.
这座塔以及里面的佛像，听说都是 9 世纪完成的。
이 탑도 , 안의 불상도 9 세기에 완성됐다고 한다 .

塔	トウ：塔（とう）
仏	ブツ：仏像（ぶつぞう）
	ほとけ：仏（ほとけ）
像	ゾウ：像（ぞう）・銅像（どうぞう）・想像（そうぞう）
紀	キ：世紀（せいき）

ごい

422 **3** いったん納入された**入学金**は返還しませんので、ご了承ください。

Please be aware that the admission fee is non-refundable.
入学金一旦缴纳不予退还，敬请谅解。
일단 납부된 입학금은 반환하지 않으니 양해해주시기 바랍니다 .

～金（～きん）
◆奨学金（しょうがくきん） scholarship / 奖学金 / 장학금
◆頭金（あたまきん） down payment / 首付 / 계약금

～費（～ひ）
◆学費（がくひ） school expenses / 学费 / 학비
◆食費（しょくひ） food expenses / 伙食费 / 식비

～賃（～ちん）
◆電車賃（でんしゃちん） train fare / 电车费 / 전철비
◆乗車賃（じょうしゃちん） train/bus fare / 乘车费 / 승차비

～料（～りょう）
◆授業料（じゅぎょうりょう） tuition fee / 学费 / 수업료
◆入場料（にゅうじょうりょう） admission fee / 入场费 / 입장료

ぶんぽう

423 **1** あなたのことを**思えばこそ**、厳しく注意しているんですよ。

I am being so stern with you because I care for you.
我正是为你着想，所以才这么严厉地提醒你的。
당신을 생각해서 , 엄하게 주의를 시키고 있는 겁니다 .

～ばこそ　（＝～からこそ）　＊強調（きょうちょう）を表（あらわ）す

◆君ならできると思え**ばこそ**、何度も練習させているのだ。
◆目標が高けれ**ばこそ**、達成感も増す。

424 日程表によれば、午前中はこうぎ、午後はゼミです。

1　講議
2　講義
3　構義
4　構議

もじ

17 □□□

425 彼女は美人だが、＿＿＿＿のでで嫌われている。

1　くつろいでいる
2　うぬぼれている
3　にらんでいる
4　にくんでいる

ごい

17 □□□

426 そんなに高いお金をかけて修理する＿＿＿＿、新しいのに買い換えたほうがいい。

1　ようであれ
2　くらいなら
3　かというと
4　にしたら

ぶんぽう

17 □□□

424 **2** 日程表によれば、午前中は**講義**、午後はゼミです。

According to the schedule, there is a meeting in the morning and a seminar in the afternoon.
根据日程表，上午是讲义，下午是研讨会。
일정표에 의하면 , 오전 중은 강의 , 오후는 세미나입니다 .

もじ

程	テイ	程度・日程・過程・課程
	ほど	先程・後程
講	コウ	講義・講堂
義	ギ	義務・主義・義理・正義・定義

425 **2** 彼女は美人だが、**うぬぼれている**ので嫌われている。

She is beautiful but not much liked because she is full of herself.
她是个美女，但太自负了，被人讨厌。
그녀는 미인이지만 잘난 체하기 때문에 미움을 받고 있다 .

ごい

うぬぼれる	be full of oneself / 骄傲、自负 / 자만하다
くつろぐ	relax, be at home / 惬意、放松、轻松 / 심신을 편안하게 하다
にらむ	scowl at, stare at intensely / 瞪、怒目而视、注目 / 노려보다
憎む	(にくむ) hate, detest / 憎恶、怨恨 / 미워하다

426 **2** そんなに高いお金をかけて修理する**くらいなら**、新しいのに買い換えたほうがいい。

If it is that expensive to repair it, then it would be better to just replace it with a new one.
花这么多钱修还不如买个新的。
그렇게 비싼 돈을 들여 수리할 정도라면 , 새로운 것으로 사서 바꾸는 것이 좋다 .

ぶんぽう

Vるくらいなら **Vるぐらいなら** If you are going to V, then... / 与其 V 还不如 / V 할 정도라면

◆そんなことを**させられるくらいなら**、この会社を辞めたい。

◆そんなところに**行くぐらいなら**、家にいたほうがました。

427 中央改札口は込み合いますから、その少し横のほうでお名前を書いた<u>看板</u>を持って立っています。

もじ

1　かんぱん
2　まないた
3　かんばん
4　なふだ

18 

428 電子レンジの普及（ふきゅう）によって、食生活に大きい変化が＿＿＿＿。

ごい

1　もたらされた
2　もよおされた
3　招かれた
4　生じられた

18 □□□

429 私たちが買えるのは、このマンション＿＿＿＿。

ぶんぽう

1　のようなものだ
2　ぐらいのものだ
3　だけのものだ
4　でもないものだ

18 □□□

もじ

427 **3** 中央改札口は込み合いますから、その少し横のほうでお名前を書いた<u>**看板**</u>を持って立っています。

The main ticket gate entrance gets crowded, so I will be standing just to the side of it holding a sign with your name on it.
因为中央检票口人山人海，我在稍微靠边的地方拿着写有你名字的牌子站着。
중앙 개찰구는 붐비고 있으니까 , 그 조금 옆쪽에서 성함을 쓴 간판을 들고 서 있겠습니다 .

央	オウ：中央	
札	サツ：千円札・札束・改札口	ふだ：札・名札
横	オウ：横断する・横断歩道	よこ：横・横切る
看	カン：看護師・看病する・看板	

ごい

428 **1** 電子レンジの普及によって、食生活に大きい変化が<u>**もたらされた**</u>。

The spread of the microwave oven has brought about great changes in our eating habits.
微波炉的普及，给饮食生活带来了巨大变化。/ 전자렌지의 보급은 식생활에 큰 변화를 가져왔다.

もたらす bring about / 带来 / 가져오다

催す （もよおす） hold (a meeting) / 召开、举办 / 개최하다

◆パーティーを**催す**

招く （まねく） invite, summon / 招待、招致 / 초래하다

◆パーティーに**招く**

生じる （しょうじる） result from, arise / 发生、产生 / 발생하다 （＝起こる）

ぶんぽう

429 **2** 私たちが買えるのは、このマンション<u>**ぐらいのものだ**</u>。

This apartment is about all we can buy.
我们能买得起的也只是这里的公寓而已。 / 우리가 살 수 있는 것은 , 이 아파트 정도의 것이다 .

（～のは）Nぐらいのものだ （＝Nしかない）

◆この問題ができる<u>**のは**、彼**ぐらいのものだろう**</u>。

◆息子から連絡がある<u>**のは**、お金に困った時**ぐらいのものだ**</u>。

430 このグラフは、気温の上昇によりしつどが低下する過程を表したものです。

1　失度
2　湿度
3　室度
4　質度

19 □□□

もじ

431 最近の若者は、ズボンの＿＿＿＿が床についていても気にしないようだ。

1　すそ
2　ずれ
3　たけ
4　ひざ

19 □□□

ごい

432 彼の作品は面白い＿＿＿＿変わっている＿＿＿＿、とても目立っていた。

1　というか／というか
2　というより／というより
3　といわず／といわず
4　といい／といい

19 □□□

ぶんぽう

こたえ

430 **2** このグラフは、気温の上昇により**湿度**が低下する過程を表したものです。

This graph shows how the humidity falls as the temperature rises.
这个图表示了气温上升导致湿度降低的过程。
이 그래프는 기온상승에 의해 습도가 저하하는 과정을 나타낸 것입니다.

もじ

昇	**ショウ**：昇進する・上昇する　**のぼ**(-る)：昇る
湿	**シツ**：湿度・湿気　**しめ**(-る)：湿る
仮	**カ**：仮定・仮説　**かり**：仮に　＊仮名

431 **1** 最近の若者は、ズボンの**すそ**が床についていても気にしないようだ。

Young people nowadays do not care if they walk on the backs of their pants.
最近的年轻人，裤脚蹭到地上好像也不在意。
최근의 젊은이는 바짓단이 바닥에 닿아도 신경을 쓰지 않는 것 같다.

ごい

すそ　hem / 下摆 / (바지등의) 단

ずれ　gap, slippage / 偏差、错位 / 어긋나다　◆時間の**ずれ**

丈　(たけ)　height, length / 身高、尺寸、长短 / 길이

432 **1** 彼の作品は面白い**というか**変わっている**というか**、とても目立っていた。

It is difficult to say if his works are interesting or just strange, but they sure do stand out.
他的作品要说是有意思呢，还是另类呢，总之很显眼。
그의 작품은 재미있다고 할까, 색다르다고 할까, 아주 눈에 띄었다.

ぶんぽう

aというかbというか　(＝aとも言える、bとも言えるがとにかく)

◆彼は人がいい**というか**ぼうっとしている**というか**、だまされることが多い。

N1といいN2といい　(＝N1もN2も)

◆色**といい**形**といい**、素敵なバッグですね。

433 率直に言って、君はもっと人の意見を<u>尊重</u>し、柔軟に受け入れるべきだ。

1　そんけい
2　そんじゅう
3　そんちゅう
4　そんちょう

20 □□□

434 食器に洗剤(せんざい)が残らないように、ちゃんと＿＿＿＿ください。

1　そそいで
2　もらして
3　すくって
4　すすいで

20 □□□

435 その話が＿＿＿＿、彼が会社をクビになるのは当然だ。

1　事実だけあって
2　事実だとすれば
3　事実どおりに
4　事実のままに

20 □□□

もじ

433 **4** 率直に言って、君はもっと人の意見を**尊重**し、柔軟に受け入れるべきだ。

To put it plainly, you should be more respectful of others' opinions and receive them with an open mind.
坦率的说，你应该更尊重、更灵活地接受别人的意见。
솔직하게 말하자면 , 넌 더 사람의 의견을 존중하고 융통성 있게 받아들여야 한다 .

[率] **ソツ**：率直な・軽率な・統率する　**リツ**：率・確率・能率・効率・比率
ひき (-いる)：率いる
[尊] **ソン**：尊敬する・尊重する・自尊心　**とうと** (-い/-ぶ)：尊い・尊ぶ
[柔] **ジュウ**：柔道・柔軟な　**やわ** (-らかい)：柔らかい

ごい

434 **4** 食器に洗剤が残らないように、ちゃんと**すすいで**ください。

Please rinse the dishes well so that there is no soap left on them.
请好好地冲洗，以防餐具上残留洗涤剂。/ 식기에 세제가 남지 않도록 제대로 헹구어 주세요 .

[すすぐ] rinse / 冲洗、洗涤 / 헹구다
[注ぐ] (そそぐ) pour, flow / 注入、流入 / (물 등을) 붓다 . 따르다
[漏らす] (もらす) let leak / 泄漏、漏掉 / 누설하다
[すくう] ◆水を**すくう** scoop up water / 舀水 / 물을 뜨다
＊人の命を救う save someone's life / 救人的性命 / 사람의 생명을 구하다

ぶんぽう

435 **2** その話が**事実だとすれば**、彼が会社をクビになるのは当然だ。

If that story is true, he will of course be fired from the company.
如果这是事实的话，我被公司辞退也是理所当然的。
그 이야기가 사실이라면 , 그가 회사를 해고되는 것은 당연하다 .

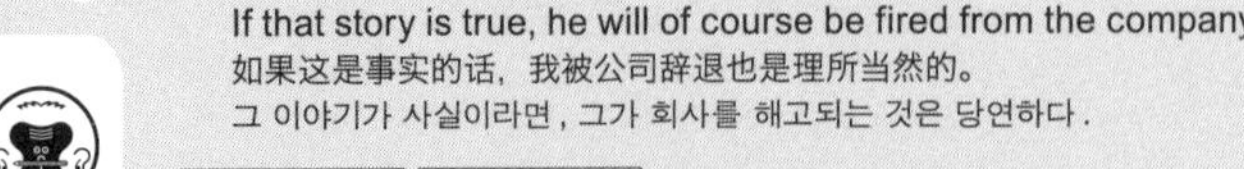

[~とすれば] [~とすると]　(＝~としたら)

◆車で行く**とすれば**、高速代がかなりかかるだろう。
◆このままその問題が解決されない**とすると**、日本の将来は大変なことになるでしょう。

436 舞台で踊るなんて、恥ずかしくてできない。

1　ぶたい
2　ぶだい
3　むたい
4　むだい

21 □□□

もじ

437 一度恥を＿＿＿＿＿、同じ失敗はしなくなるだろう。

1　つけば
2　かけば
3　すれば
4　とれば

21 □□□

ごい

438 A「あと30分しかない。タクシーで行く？」
B「いやあ、タクシーで行っても、とても
＿＿＿＿＿よ。」

1　間に合いかねる
2　間に合いがたい
3　間に合うわけもない
4　間に合いそうもない

21 □□□

ぶんぽう

こたえ

もじ

436 **1** **舞台**で踊るなんて、恥ずかしくてできない。

Dancing on a stage would be too embarrassing for me.
在舞台上跳舞什么的，太不好意思，我不行。 / 무대에서 춤을 추다니 , 부끄러워서 못합니다 .

舞 **ブ**：舞台
ま (-う)：舞う・振る舞う・見舞う・見舞い

踊 **おど (-る)**：踊る・踊り

恥 **は (-ずかしい /- じる)**：恥ずかしい・恥じる・恥じらう
はじ：恥

ごい

437 **2** 一度恥を**かけば**、同じ失敗はしなくなるだろう。

Once he experiences being embarrassed, he will not repeat the mistake again.
如果丢过一次脸，估计就不会再有同样的失败了。
한번 창피를 당하면 같은 실패는 하지않을 것이다 .

恥をかく (はじをかく) be embarrassed / 丢脸 / 창피를 당하다

＊恥じる be ashamed / 羞愧 / 창피해 하다
＊恥じらう be shy / 害羞 / 수줍어하다

ぶんぽう

438 **4** A「あと 30 分しかない。タクシーで行く？」
B「いやあ、タクシーで行っても、とても**間に合いそうもない**よ。」

A: “We only have 30 minutes left. Should we take a taxi?” B: “No, I do not think we would make it, even if we took a taxi.” / A：“只有 30 分钟了。坐出租车去吧？” B：“就算坐出租车去怎么都来不及了吧。” / A「앞으로 30 분 밖에 없네 . 택시로 갈까요 ?」 B「아니 , 택시로 가도 도저히 시간에 댈 수 있을 것 같지도 않아요 .」

Vそうもない **Vそうにない** **Vそうにもない** （＝Vる可能性は低い）

- 雨は当分やみ**そうもない**。
- この仕事、明日までに終わり**そうにない**。

439 <u>ふたご</u>のどちらが兄または姉かは、生まれた順によって決められるのでしょうか。

1　二子
2　両子
3　双子
4　富子

22 □□□

440 古い車を＿＿＿＿＿に出して、新しい車を買った。

1　下取り
2　値引き
3　立て替え
4　値打ち

22 □□□

441 書類はメールに添付して送れるので、たいていの資料は郵送＿＿＿＿＿、助かっている。

1　せずに済み
2　せざるを得なく
3　すべきではなく
4　するにすぎず

22 □□□

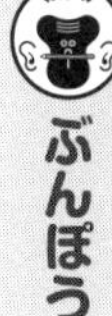

もじ

439 **3** **双子**のどちらが兄または姉かは、生まれた**順**によって決められるのでしょうか。

Perhaps the way to tell which twin is the older brother or sister is by their order of birth.
双胞胎哪个是哥哥或者哪个是姐姐是按照出生的顺序来定的吧。
쌍둥이의 어느 쪽이 형 또는 누나인지 , 태어난 순서에 따라 결정할 수 있을까요 ?

双 ふた：双子
順 ジュン：順・順番・順序・手順・順調な
富 フ：富士山・豊富な
と(-む)：富む　とみ：富

ごい

440 **1** 古い車を**下取り**に出して、新しい車を買った。

I traded in my old car and bought a new one.
用旧车贴了些钱，又买了辆新车。 / 헌 차를 인수 해 받고 새 차를 샀다 .

下取り	(したどり)	trade-in / 用旧物贴钱换新物 / (고품을) 인수
値引き	(ねびき)	discount / 降价、打折 / 할인
立て替え	(たてかえ)	payment on someone's behalf / 垫付、垫款 / 대금을 대신 치름
値打ち	(ねうち)	value / 估价、价值 / 값어치

ぶんぽう

441 **1** 書類はメールに添付して送れるので、たいていの資料は郵送**せずに済み**、助かっている。

Most documents can be sent as email attachments, so we can thankfully get by without having to send most materials in the mail.
资料可以添加为邮件附件发，大部分资料没通过邮局就发了，帮了很大的忙。
서류는 이메일에 첨부하여 보낼 수 있으므로 대부분 자료는 우송하지 않아도 돼서 , 수월하다 .

Vずに済む **Vないで済む** **Vなくて済む** get by without (having to) V / 不 V 就行了 / V 없이 해결되다

◆ 入院せ**ずに済む**方法があるなら教えてください。
◆ 家のすぐそばに図書館ができたので、最近は本を**買わないで済んでいる**。

442 彼の漫画は、<u>鋭い</u>政治批評で読者の共感を呼んだ。

1 にぶい
2 するどい
3 ひどい
4 みにくい

23 □□□

443 仕事が私の＿＿＿＿＿＿です。

1 なっとく
2 あこがれ
3 やりがい
4 生きがい

23 □□□

444 頭痛がひどい。薬も効かない。何とか＿＿＿＿＿＿。

1 ならないことだろうか
2 ならないものだろうか
3 なりそうもないか
4 なりようもないか

23 □□□

もじ

442 **2** 彼の漫画は、**鋭い**政治批評で読者の共感を呼んだ。

His sharp political cartoons captured the readers' sentiment.
他的漫画，通过尖锐的政治批评引起了读者的共鸣。
그의 만화는 날카로운 정치 비평으로 독자의 공감을 불러일으켰다 .

画	ガ：映画・漫画・動画・画家　カク：計画・企画
鋭	するど（-い）：鋭い⇔鈍い
批	ヒ：批判・批評

ごい

443 **4** 仕事が私の**生きがい**です。

Work is my life. / 工作是我的生存意义。 / 일이 나의 보람입니다 .

生きがい	（いきがい）	motivation in life / 有意义、生存的价值 / 보람
納得	（なっとく）	◆ **納得**がいく be satisfied with / 能理解、想得通 / 이해가 되다 ⇔納得がいかない
あこがれ		admiration for / 憧憬、向往 / 동경　＊あこがれる
やりがい		be worth doing, worthwhile / 有价值、有奔头儿 / 보람

ぶんぽう

444 **2** 頭痛がひどい。薬も効かない。何とか**ならないものだろうか**。

I have a terrible headache. No medicine helps. I wonder if there is nothing I can do.
头疼得厉害。吃药也没用。就没什么办法了吗。
두통이 심하다 . 약도 듣지 않는다 . 어떻게 좀 안될까 .

Vないもの（だろう）か　（＝どうにかVたい）

◆戦争のない世界を作れ**ないものだろうか**。

◆この時計、どうにか直せ**ないものか**。

445 その博士はすばらしい頭脳を持っているが、人の気持ちに関してはどんかんだ。

1　銅感
2　憎感
3　鋭感
4　鈍感

24 □□□

446 人を＿＿＿＿ばかりいないで、たまには良いところをほめたらどう？

1　思いやって
2　なぐさめて
3　けなして
4　あきれて

24 □□□

447 災害が起こった時に、水の確保が一番の問題＿＿＿＿。

1　であるべきだ
2　だとされている
3　であるしだいだ
4　でありかねる

24 □□□

もじ

445 **4** その博士はすばらしい頭脳を持っているが、人の気持ちに関しては**<u>鈍感</u>**だ。

That scientist has a brilliant mind, but is insensitive to people's feelings.
那个博士拥有杰出的头脑，但在理解他人心情方面很迟钝。
박사는 멋진 두뇌를 가지고 있지만 사람의 기분에 관해서는 둔감하다 .

- 脳 **ノウ**：脳・頭脳・首脳
- 銅 **ドウ**：銅
- 憎 **ゾウ**：憎悪　**にく** (-い /- しみ /- らしい /- む)：憎い・憎しみ・憎らしい・憎む
- 鈍 **ドン**：鈍感な⇔敏感な　**にぶ** (-い /- る)：鈍い・鈍る

ごい

446 **3** 人を**<u>けなして</u>**ばかりいないで、たまには良いところをほめたらどう？

Don't keep speaking ill of others. How about praising them for a change?
不要光贬低别人，偶尔也夸奖一下别人的优点怎么样？
사람을 헐뜯기만 하지 말고 때때로 좋은 점을 칭찬하면 어때？

- **けなす** speak ill of / 贬低、讥讽 / 헐뜯다
- **思いやる** (おもいやる) be considerate, sympathize with / 体谅、同情 / 배려하다
  ＊思いやり
- **慰める** (なぐさめる) comfort / 安慰、宽慰 / 위로하다
- **あきれる** be shocked, be astonished / 吃惊、吓呆、发愣 / 황당하다

447 **2** 災害が起こった時に、水の確保が一番の問題**<u>だとされている</u>**。

In the event of a disaster, procuring water is said to be the biggest problem.
灾害发生的时候，水的确保是最重要的问题。

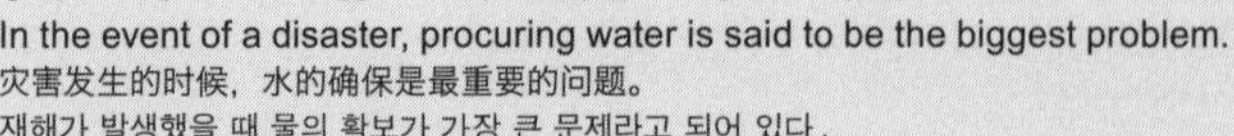

재해가 발생했을 때 물의 확보가 가장 큰 문제라고 되어 있다 .

ぶんぽう

～とされる　(＝～と言われる)

- ◆目上の人に対して「あなた」というのは、<u>失礼だ**とされている**</u>。
- ◆世の中に本当に<u>必要**とされる**</u>製品を作りたい。

448 単純な手続きミスで志望校を受験する機会を逃すなんて、<u>賢い</u>人のやることだろうか。

1　あやうい
2　おさない
3　かしこい
4　しつこい

25 □□□

449 サッカー選手が＿＿＿＿並んでいる。

1　ちらっと
2　ずらっと
3　一段と
4　ぐっと

25 □□□

450 この歌を聴(き)くと、亡くなった母のことが＿＿＿＿。

1　思い出される
2　思い出す限りだ
3　思い出すものだ
4　思い出すまいか

25 □□□

もじ

448 **3** 単純な手続きミスで志望校を受験する機会を逃すなんて、**賢い**人のやることだろうか。

Is missing the opportunity to go to one's school of choice due to a simple paper-work error something a smart person would do?
因简单的手续失误错过了报考志愿学校的机会，这种事情聪明人做得出来吗?
간단한 수속 실수로 지망 학교에 응시할 기회를 놓치다니 , 현명한 사람이 할일까 .

[純] **ジュン**：単純な・純情な・清純な・純粋な
[志] **シ**：意志・志望する・同志
こころざし：志　**こころざ(-す)**：志す
[賢] **ケン**：賢明な　**かしこ(-い)**：賢い

ごい

449 **2** サッカー選手が**ずらっと**並んでいる。

The soccer players are all lined up.
足球队员排成一排。 / 축구 선수가 쭉 늘어서 있다 .

[ずらっと] [ずらりと]　in a row, in a line / 一长排 / 〈많이 늘어서 있는 모습〉
[ちらっと] [ちらりと]　◆**ちらっと**見る glance at / 瞥见、乍一看 / 힐끔 보다
[一段と]（いちだんと）◆**一段と**寒くなる get much colder / 更冷了 / 한결 추워 지다
[ぐっと]　at once, suddenly, with a jerk / 更加、非常 / 훨씬

ぶんぽう

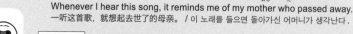

450 **1** この歌を聴くと、亡くなった母のことが**思い出される**。

Whenever I hear this song, it reminds me of my mother who passed away.
一听这首歌，就想起去世了的母亲。 / 이 노래를 들으면 돌아가신 어머니가 생각난다 .

[Vられる]　＊自発の受身形

◆その症状から考え**られる**病気に何があるでしょうか。
◆その製品の実用化が待**たれます**。

451 母は居間で毛糸の帽子を<u>編んで</u>います。

1　くんで
2　もんで
3　あんで
4　へんで

26 □□□

452 父が亡くなったとき、財産の相続で兄弟と
＿＿＿＿。

1　あせった
2　ひねった
3　もめた
4　こもった

26 □□□

453 どこの地域もゴミの分別に＿＿＿＿ようだ。

1　悩まれている
2　悩まされている
3　悩みにほかならない
4　悩むよりほかない

26 □□□

451 **3** 母(はは)は居間(いま)で毛糸(けいと)の帽子(ぼうし)を**編(あ)んで**います。
Mother is knitting a wool hat in the living room.
妈妈在客厅里织毛线帽子。 / 어머니는 거실에서 털실 모자를 뜨고 있습니다.

もじ

居 キョ：住居(じゅうきょ)・転居(てんきょ)する・同居(どうきょ)する
い（-る）：居眠(いねむ)り・居間(いま)

帽 ボウ：帽子(ぼうし)

編 ヘン：編集(へんしゅう)・長編(ちょうへん)⇔短編(たんぺん)
あ（-む）：編(あ)む・編(あ)み物(もの)

452 **3** 父(ちち)が亡(な)くなったとき、財産(ざいさん)の相続(そうぞく)で兄弟(きょうだい)と**もめた**。
After our father passed away, I had a fight with my brothers over the inheritance.
父亲去世时，因遗产继承问题我和兄弟发生了争执。
아버지가 돌아가셨을 때, 재산상속으로 형제와 분규가 일었다.

ごい

もめる have a fight / 发生争执、起纠纷 / 옥신각신하다

焦る （あせる） be anxious to / 焦躁、着急 / 초조해하다

ひねる ◆ガス栓(せん)を**ひねる** turn on the gas / 拧煤气开关 / 가스밸브를 비틀다 (잠그다)

こもる ◆家(いえ)に**こもる** confine oneself to a house / 闭门不出 / 집에 틀어 박히다

453 **2** どこの地域(ちいき)もゴミの分別(ぶんべつ)に**悩(なや)まされている**ようだ。
It seems that most every area is struggling with waste separation.
不管是哪个地区好像都被垃圾分类弄得头疼。 / 어느 지역도 쓰레기 분리에 시달리는 것 같다.

ぶんぽう

Vさせられる ＊自発(じはつ)の使役受身形(しえきうけみけい)

◆それが本当(ほんとう)に必要(ひつよう)なことなのか、考(かんが)え**させられます**。

◆彼女(かのじょ)の行(おこな)いには感心(かんしん)**させられます**。

454 店の拡張工事で、地面を掘ったら、ぐうぜん、温泉が出てきたそうです。

もじ

1　天然

2　偶然
3　当然
4　必然

27 □□□

455 上司に怒鳴られる毎日に＿＿＿＿＿だ。会社を辞めたい。

ごい

1　ぎっしり
2　たっぷり
3　うんざり
4　じっくり

27 □□□

456 頭が痛かったので薬を飲んだ。＿＿＿＿＿、すぐに痛みがなくなった。

ぶんぽう

1　すなわち
2　すると
3　ところで
4　というと

27 □□□

こたえ

もじ

454 **2** 店の拡張工事で、地面を掘ったら、**偶然**、温泉が出てきたそうです。

When they were digging into the ground for construction to expand the store, they happened to find a hot spring.

听说店铺扩建施工挖地的时候，偶然挖出了温泉。

점포 확장 공사로 지면을 팠는데 , 우연히 온천이 나왔다고 합니다 .

拡 **カク**：拡大する・拡張する

掘 **クツ**：発掘する・採掘する

ほ(-る)：掘る

偶 **グウ**：偶然・偶数・配偶者

然 **ゼン**：自然・当然・必然・偶然　**ネン**：天然

ごい

455 **3** 上司に怒鳴られる毎日に**うんざり**だ。会社を辞めたい。

I get yelled at by my boss every day. I have had enough of it. I want to quit.

整天被上司训斥，烦死了。我想辞职。

상사에게 혼나는 매일이 지긋지긋하다 . 회사를 그만 두고 싶다 .

うんざり	be fed up with / 厌烦、腻烦、受够了 / 지긋지긋하다
ぎっしり	tightly, fully / 紧紧的、满满的 / 가득 ◆予定が**ぎっしり**詰まっている。
たっぷり	ample, plenty (of) / 富含着、充足 / 많이 ◆時間が**たっぷり**ある。
じっくり	carefully, without rushing / 仔细、不紧不慢 / 차분히　◆**じっくり**考える

ぶんぽう

456 **2** 頭が痛かったので薬を飲んだ。**すると**、すぐに痛みがなくなった。

I had a headache so I took some medicine and the pain went away soon after.

因为头疼就吃了药。结果马上就不疼了。

머리가 아팠기 때문에 약을 마셨다 . 그러자 곧 통증이 없어졌다 .

すると	thereupon, hereupon / 一 ~ 就 ~ / 그랬더니
すなわち	that is to say / 即 / 즉
ところで	by the way / 可是 / 그런데
というと	if ~ were the case then, if one were to say ~ / 说到 ~、要说 ~ / 라고하면

457 内臓が悪いと皮膚に異常が現れるが、同様に、赤ん坊にマッサージをすると内臓の働きがよくなる。

もじ

1 はだ
2 ひだ
3 はふ
4 ひふ

28 

458 事務職は、パソコンができないと＿＿＿＿＿。

ごい

1 話にならない
2 話がわからない
3 話がつかない
4 話にのらない

28 □□□

459 クラスの大半は中国出身です。＿＿＿＿＿私は、台湾からきました。

ぶんぽう

1 ちなみに
2 それが
3 したがって
4 ようするに

28 □□□

もじ

457 **4** 内臓が悪いと**皮膚**に異常が現れるが、同様に、赤ん坊にマッサージをすると内臓の働きがよくなる。

If there is a problem with its internal organs, it may show up as skin disorders. At the same time, massaging a baby's skin can help the function of its internal organs.
内脏不好皮肤会出现异常，同样的，给宝宝按摩的话能促进内脏活动。
내장이 나쁘면 피부에 이상이 나타나는데, 마찬가지로, 아기에게 마사지를 해주면 내장의 기능이 좋아진다.

臓 ゾウ：心臓・内臓・臓器
膚 フ：皮膚
坊 ボウ：寝坊する・（お）坊さん・赤ん坊・坊や
ボッ：坊ちゃん

ごい

458 **1** 事務職は、パソコンができないと**話にならない**。

Clerical staff who cannot use computers are out of the question.
事务性的工作，如果不会电脑就无从谈起。 / 사무직은 컴퓨터를 못하면 말도 안되요 .

話にならない	（はなしにならない）	out of the question / 无从谈起、不成体统 / 말도 안된다
話がわかる	（はなしがかわる）	understanding / 懂道理 / 말이 통하다
話がつく	（はなしがつく）	come to an agreement / 谈妥 / 결말이 나다
話に乗る		jump at the chance / 参与商谈、搭腔 / 선동되다

ぶんぽう

459 **1** クラスの大半は中国出身です。**ちなみに**私は、台湾からきました。

OK なお

The majority of the class is from China. Incidentally, I am from Taiwan.
班上一大半都是中国人。顺便说一下，我是台湾来的。
클래스 대부분은 중국 출신입니다 . 덧붙여서 나는 대만에서 왔습니다 .

ちなみに		by the way, incidentally / 顺便说一下、附带说一下 / 덧붙여서 말하면
それが		well yes, now that you mention it / 可是 / 그것이
従って	（したがって）	consequently, therefore / 因此 / 따라서
要するに	（ようするに）	in a word, to put it simply / 总之、总归 / 요컨대

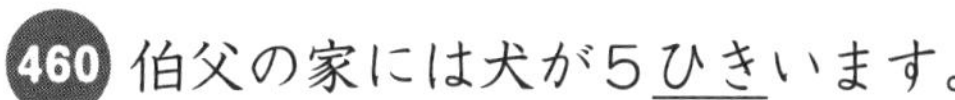

460 伯父の家には犬が5ひきいます。

1　匹
2　頭
3　足
4　羽

29 □□□

もじ

461 お忙しいところ、お＿＿＿＿をおかけして申し訳(わけ)ありませんでした。

1　手当て
2　手入れ
3　手数
4　手配

29 □□□

ごい

462 来月、ニューヨークに出張するんだってね。＿＿＿＿お願いがあるんだけど…。買ってきてほしいものがあるんだ。

1　そういえば
2　それはそうと
3　そこで
4　もっとも

29 □□□

ぶんぽう

こたえ

もじ

460 **1** 伯父(おじ)の家(いえ)には犬(いぬ)が５**匹**(ひき)います。

My uncle has five dogs in his house.
我伯父家有５条狗。 / 큰아버지의 집에는 개가 5 마리 있습니다 .

伯 ＊伯父(おじ)・伯母(おば)
叔 ＊叔父(おじ)・叔母(おば)
匹 ヒキ：１匹(びき)、２匹(ひき)、３匹(びき)…
匹敵(ひってき)する

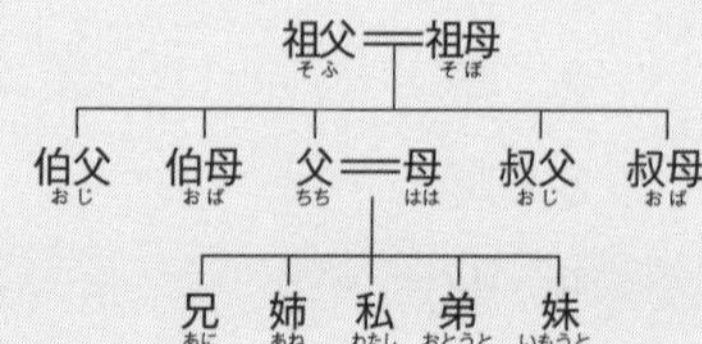

ごい

461 **3** お忙(いそが)しいところ、お**手数**(てすう)をおかけして申(もう)し訳(わけ)ありませんでした。

OK 手間(てま)

I am sorry to trouble you when you are so busy.
在您百忙之中，这么麻烦您，真是抱歉。/ 바쁘신데 , 수고스럽게 해서 미안합니다 .

手数	（てすう）	trouble / 费事、麻烦 / 수고
手当て	（てあて）	pay, allowance / 补贴、津贴 / 수당
手入れ	（ていれ）	repairs, maintenance / 加工、修整 / 손질
手配	（てはい）	arrangement / 筹备、安排 / 수배

ぶんぽう

462 **3** 来月(らいげつ)、ニューヨークに出張(しゅっちょう)するんだってね。**そこで**お願(ねが)いがあるんだけど…。買(か)ってきてほしいものがあるんだ。 OK それで

I heard you are going to go on a business trip to New York next month. So, there is something I would like to ask you to buy for me.
下个月听说你要去纽约出差，所以有事情要拜托你…。想让你买东西带回来。
다음달 뉴욕에 출장 간다면서요 . 그래서 부탁이 있는데…. 사다 줬으면 싶은 것이 있어요 .

そこで	thereupon, therefore / 因此、所以 / 그래서
そういえば	which reminds me, now that you mention it / 这么说的话 / 그러고 보니
それはそうと	incidentally, by the way / 话说、另外 / 그건 그렇다 치고
最も	（もっとも） most / 最 / 가장

463 検査項目はすべて平均的な数値（すうち）で、健康状態は<u>良好</u>です。

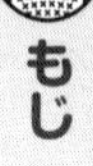
もじ

1　りょうこう
2　りゅうこう
3　りょこう
4　りゅこう

30 □□□

464 新しく省エネシステムを＿＿＿＿＿ことにより、光熱費が大幅に削減（さくげん）できた。

ごい

1　取り組んだ
2　取り入れた
3　取り込んだ
4　取り上げた

30 □□□

465 来週の日曜日に避難（ひなん）訓練を行います。＿＿＿＿＿、雨天の場合は中止です。

ぶんぽう

1　しかも
2　ただし
3　さて
4　それどころか

30 □□□

もじ

463 **1** 検査項目はすべて平均的な数値で、健康状態は**良好**です。

The results of your medical exam are all about average, so you are in good health.
检查项目全都是平均数值，健康状况良好。
검사항목은 모두 평균적인 수치로 건강 상태는 양호합니다.

- 項 コウ：項目・事項
- 均 キン：平均・均衡
- 良 リョウ：良心・良質・改良・良好な・善良な
  - よ(-い)：良い・仲良し

ごい

464 **2** 新しく省エネシステムを**取り入れた**ことにより、光熱費が大幅に削減できた。

By introducing the new energy saving system, we have been able to drastically cut down on heat and lighting costs. / 由于引入了新的节省能源的系统，大幅度削减了煤电费。 / 새롭게 에너지절약 시스템을 도입함에 따라 광열비가 대폭으로 삭감되었다.

- **取り入れる** (とりいれる) take in, incorporate, accept / 引进、导入 / 거두다. 도입하다
- **取り組む** (とりくむ) engage with, strive for, deal with / 致力于、专心做 / 몰두하다
- **取り込む** (とりこむ) capture, import / 收进来、摄入、拿进 / 골라넣다
- **取り上げる** (とりあげる) listen to, take up / 举起、拿起、提出 / (의견을) 채택하다

465 **2** 来週の日曜日に避難訓練を行います。**ただし**、雨天の場合は中止です。

There will be an evacuation drill next Sunday. However, it will be cancelled in the event of rain.
下星期天举行避难训练。但若下雨的话就取消。
다음 주 일요일에 피난 훈련을 시행합니다. 단, 우천의 경우는 중지합니다.

ぶんぽう

- **ただし** however / 但、但是 / 단지
- **しかも** furthermore, moreover / 而且、并且 / 게다가 （＝おまけに）
- **さて** well..., now..., then... / 那么、且说 / 그런데
- **それどころか** on the contrary / 岂止如此 / 그렇기는커녕 오히려

466 男も女も<u>平等</u>に働く権利がある。→394

1　へいとう　　　2　びょうどう

もじ

467 私は運動神経が<u>にぶい</u>。→445

1　鋭い　　　2　鈍い

468 必ず行くと言ったよね。＿＿＿＿行けないと言われても困るよ。→407

1　いまだに　　　2　いまさら

1□□□

ごい

469 若いころ、長い＿＿＿＿を過ごしたイタリアに、また行ってみたい。→377

1　年月　　　2　年代

470 母は僕の顔を＿＿＿＿、泣き始めた。→399

1　見るなり　　　2　見たなり

1□□□

ぶんぽう

471 環境を守るために、＿＿＿＿かぎりのことをしよう。→405

1　できる　　　2　できた

もんだい

もじ

472 この機器は、<u>平らな</u>ところに置いて操作してください。 →394

1　たいらな　　2　へいらな

3□□□

473 「ペンキ<u>ぬりたて</u>」→415

1　塗りたて　　2　壁りたて

4□□□

ごい

474 このごろ仕事がすごく忙しくて、家事の＿＿＿＿ばかりいる。→410

1　手を抜いて　　2　手がなくて

3□□□

475 昨日のゴルフの試合は調子が悪くて、＿＿＿＿から２番目の成績だった。→416

1　びら　　2　びり

4□□□

ぶんぽう

476 その計画は、どうも成功＿＿＿＿。→438

1　しそうもない　　2　しようもない

3□□□

477 前回の優勝者が勝つ＿＿＿＿、負けてしまった。→387

1　と思いきや　　2　と思わされて

4□□□

前のページの答え　466 2　467 2　468 2　469 1　470 1　471 1

もじ

478 この旅館は県と県の<u>境</u>にある。→394

1　ななめ　　　　2　さかい

479 雨の降る<u>かくりつ</u>は20%です。→433

1　確立　　　　2　確率

ごい

480 環境問題に＿＿＿＿企業が増えてきた。→464

1　取り戻す　　　　2　取り組む

5 □□□

481 カメラを買いに行ったが、財布を忘れたので一緒に行った友達に＿＿＿＿もらった。→440

1　立て替えて　　　　2　下取りして

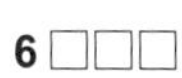

ぶんぽう

482 電話＿＿＿＿メール＿＿＿＿で連絡してください。→396

1　にせよ／にせよ　　　　2　なり／なり

5 □□□

483 彼女のスピーチにはだれもが感心＿＿＿＿。→453

1　されていた　　　　2　させられた

もじ

484 ぼくは父を<u>尊敬</u>している。→433

1　そんけい　　2　けんそん

7□□□

485 マラソンで<u>いちい</u>になった。→409

1　一位　　2　一等

8□□□

ごい

486 インフルエンザにかかり、1週間家に＿＿＿＿。→452

1　こりていた　　2　こもっていた

7□□□

487 ＿＿＿＿聞いたところによると、田中先生は学校を辞めるらしいですよ。→386

1　ちらっと　　2　ぼうっと

8□□□

ぶんぽう

488 できないならできない＿＿＿＿かまわないから、とりあえずやってみよう。→420

1　なりで　　2　ばかりで

7□□□

489 すぐに治ったから、病院に＿＿＿＿よかったよ。→441

1　行ったかいがなくて　2　行かずに済んで

8□□□

前のページの答え　478 2　479 2　480 2　481 1　482 2　483 2

490 舞台衣装を着る。→403

1 いしょう　　2 いそう

9 □□□

491 今日はしつどが高い。→430

1 温度　　2 湿度

10 □□□

もじ

492 せっかく心をこめて作った料理を＿＿＿＿、気分が悪い。

→446

1 けなされて　　2 ごまかされて

9 □□□

493 田中さんは、どんな問題も解決してくれる＿＿＿＿先輩(せんぱい)です。→383

1 そうぞうしい　　2 たのもしい

10 □□□

ごい

494 A「試験、どうだった？」
B「＿＿＿＿、受けられなかったんです。」→459

1 もっとも　　2 それが

9 □□□

495 昨日のスポーツ大会は寒かった。＿＿＿＿途中から雨が降ってきて大変だった。→465

1 しかも　　2 ちなみに

10 □□□

ぶんぽう

前のページの答え 484 1 485 1 486 2 487 1 488 1 489 2

もんだい

もじ

496 胃に<u>管</u>を通す。→406

1　ふだ　　2　くだ

11 □□□

497 <u>へいきん</u>年齢は何歳ですか→463

1　平約　　2　平均

12 □□□

ごい

498 この会は、２ヶ月に１度の割合で＿＿＿います。→428

1　もよおされて　　2　まかされて

11 □□□

499 やけどをした患者（かんじゃ）の＿＿＿を先にしましょう。→461

1　手入れ　　2　手当て

12 □□□

ぶんぽう

500 話し合いでは解決しなかった。＿＿＿時間のむだだったということだ。→459

1　もっとも　　2　ようするに

11 □□□

前のページの答え　490 1　491 2　492 1　493 2　494 2　495 1

資料

Materials / 资料 / 자료

漢字リスト

Kanji List
汉字表
한자 목록

品詞別語彙リスト

Vocabulary List Arranged by Parts of Speech
各词类词汇表
품사별 어휘 목록

文型・文法項目リスト

Sentence Patterns, Grammar List
句型·语法表
문형·문법 항목 목록

前のページの答え 496 2 497 2 498 1 499 2 500 2

漢字リスト

Kanji List / 汉字表 / 한자 목록

- 「こたえ」のページの□で紹介している漢字を総画数ごとに示しています。
  This shows the *kanji* introduced in the answer □ arranged by the number of strokes.
  "答案" 页中 "□" 内的汉字按笔画总数排列。
  「해답」 페이지의 □에서 소개된 한자를 총획수 별로 나타내고 있습니다.
- 数字は問題番号です。
  These numbers are the number of the each question.
  数字是问题编号。
  숫자는 문제 번호입니다.

2画

了	302

3画

亡	31
久	174
干	195
士	278
与	335
才	379

4画

互	257
収	266
戸	302
片	320
仏	421
双	439
匹	460

5画

皿	46
犯	88
幼	153
占	162
皮	171
包	171
旧	174
玉	180
刊	201
申	204
処	266
氷	269
永	269
圧	281
庁	290
司	311
令	314
辺	335
召	338
巨	391
平	394
央	427
札	427

6画

印	1
吸	46
灰	46, 150
汗	49
州	67
列	67
羽	76
竹	76
兆	129
衣	132
舟	135
老	213
宇	278
灯	299
仲	382
叫	382
共	394
肌	418
仮	430

7画

坂	19
努	34
沈	55
床	58
囲	61
抜	70
応	138
労	147
条	147
似	153
乱	153
伺	162
兵	165
返	168
戻	168
材	171
臣	174
伸	198
更	204
児	213
芸	251
谷	314
余	314
麦	326
含	326
否	332
状	403
位	409
判	412
批	442
志	448
坊	457
伯	460
均	463
良	463

8画

述	1
肩	10
育	10
承	13
板	19
版	19
怖	34
泥	37, 49
委	40
季	40
刺	43

品詞別語彙リスト

Vocabulary List Arranged by Parts of Speech
各词类词汇表 / 품사별 어휘 목록

◆「こたえ」のページで紹介している語彙を品詞ごとに示しています。
This shows the vocabulary shown in the answers.
“答案”页中介绍的词汇按词类排列。
「해답」페이지에서 소개된 어휘를 품사별로 나타내고 있습니다 .

◆ 数字は問題番号です。

These numbers are the number of each question.
数字是问题编号。
숫자는 문제 번호입니다 .

動詞

Verb / 动词 / 동사

あきれる	17, 446
憧れる	11, 20
焦る	17, 452
甘やかす	151
改める	17
ありふれる	2
慌てる	32
威張る	142
引退する	303
失う	288
うぬぼれる	425
裏切る	142
追いかける	199
追い越す	199
抑える	133
落ち着く	151
脅かす	172
思いやる	446
かじる	163
稼ぐ	65
片付く	279
固まる	279
傾く	279
かたよる	279
担ぐ	178
かびる	392
からかう	172
切れる	339
くつろぐ	50, 425
暮らす	50
くわえる	163
けなす	172, 446
こなす	68
こもる	89, 452
こらえる	32, 133
凝る	77
逆らう	136
避ける	142
さびる	392
騒ぐ	17
しいんとする	386
従う	20
しぼむ	392
しゃがむ	157
しゃぶる	163
就職する	303
生じる	428
すくう	434
すすぐ	434
すべる	157
済む	339
ずれる	404
責める	136
注ぐ	434
反る	77
そろえる	148, 404
退院する	303
退職する	303
耐える	133
だます	8, 193
黙る	142
試す	193
ためらう	32
ためる	193
頼る	20, 193
ついていく	29

イ形容詞

I-adjective

イ形容词 / イ형용사

ナ形容詞

Na-adjective

ナ形容词 / ナ형용사

副詞

Adverb / 副词 / 부사

名詞

Noun / 名词 / 명사

ごい

慣用表現

Idiomatic expression

惯用法表现 / 관용 표현

ごい

文型・文法項目リスト

Sentence Patterns, Grammar List
句型・语法表 / 문형 문법 항목 목록

◆「こたえ」のページで紹介している文型や文法項目をあいうえお順に示しています。

These sentence patterns and itemized grammar points shown in the answers are in Japanese A-I-U-E O order.

“答案”页中介绍的句型、语法按照あいうえお的顺序排列。

「해답」페이지에서 소개하고 있는 문형이나 문법 항목을 あいうえお순으로 나타내고 있습니다.

◆ 数字は問題番号です。

These numbers are the number for each question.

数字是问题编号。

숫자는 문제 번호입니다.

あ

か

さ

ぶんぽう

は

ま

や

ら

を

文字・語い・文法まとめドリル

新にほんご500問 N2

2015年4月30日　初版　第1刷発行
2023年4月　5日　初版　第10刷発行

著　者　松本紀子・佐々木仁子
翻訳・翻訳校正　Red Wind（英語）
ALA 中国語教室 胡玉菲（中国語）
李 銀淑（韓国語）
イラスト　花色木綿
カバーデザイン　アスク デザイン部
本文デザイン　清水裕久（Pesco Paint）
編集・DTP　有限会社ギルド
発行人　天谷修身
発行所　株式会社アスク
〒162-8558 東京都新宿区下宮比町 2-6
電話 03-3267-6864
https://www.ask-books.com/
印刷所　株式会社光邦

ISBN978-4-87217-942-2

アンケートにご協力ください

PC https://www.ask-books.com/support/